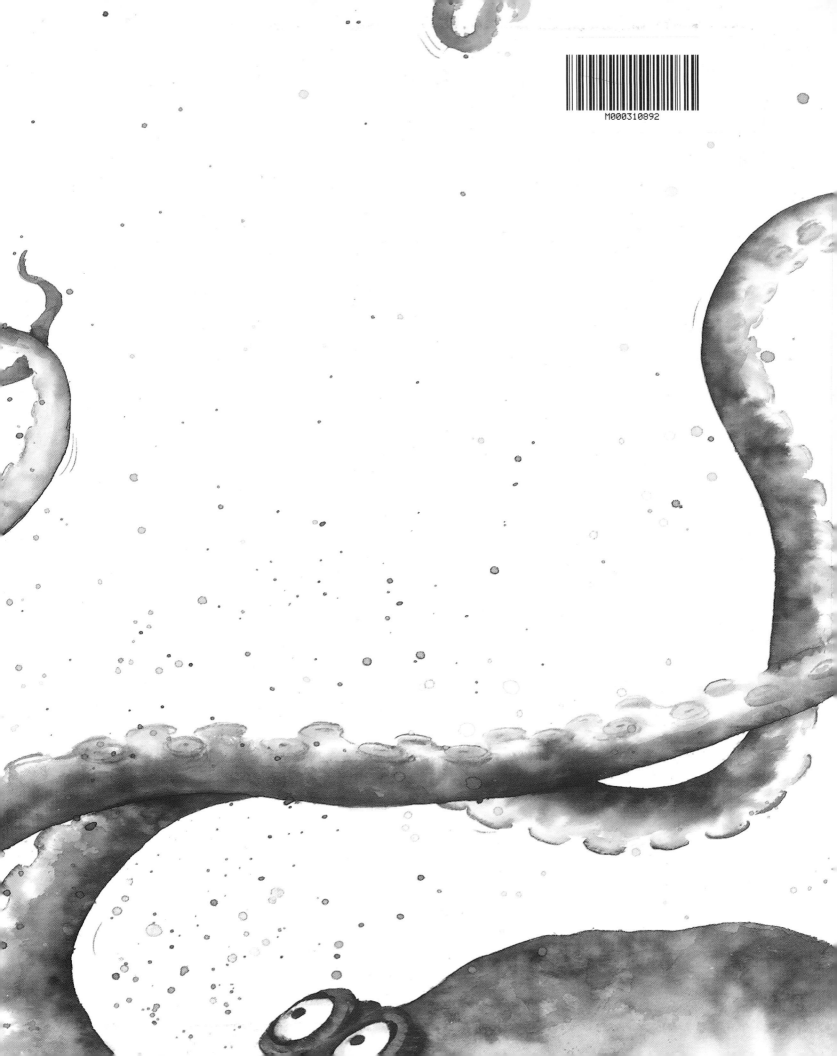

Ilustraciones: Nivio López Vigil

C/ Campezo s/n – 28022 Madrid
Telf. 913 009 100
Fax 913 009 118

Cuentos
para 365 días

susaeta

Coleta payasa ¿qué pasa?

Coleta se asoma, por la puerta de la lona, del Circo Coco Drilo.
—Buenas. ¿Es usted el director del Circo Coco Drilo?
—Sí. ¿Qué quieres?
—¡Quiero ser payasa! ¡Hacer reír! Hacer reír es una obra de caridad. Yo quiero ser payasa.
—¡Uy! ¡Tú payasa!

—Sí, yo. Coleta payasa.
¿Qué pasa?
¡Y menos guasa!

…Si quiere me cambio el nombre,
y usted pone ahí un gran cartel que diga:
BLASA, LA PAYASA
—No, no es eso, es que para ser payasa,
hay que tener experiencia.
—Mire, no tengo experiencia
(ni sé qué es eso), pero tengo paciencia,
gracia y salero, y además,
¡me conoce el mundo entero!
Soy Coleta. Coleta de España.

—Escucha, pequeñaja —dijo el director—, para ser payasa, hay que ser mayor.

—Ahora escúcheme usted a mí, señor. Yo salgo a trabajar disfrazada, con la cara pintada con la nariz postiza —de pelota de pim-pón—, me pongo peluca y peluquín, y grandes zapatones con tacones, y así, los que van a ver mi arte al circo, nunca podrán adivinar los años que tengo.

—¿Cuántos años tienes?

—Diez años y medio.

—Como los burros.

—No señor, como las burras. Soy niña.

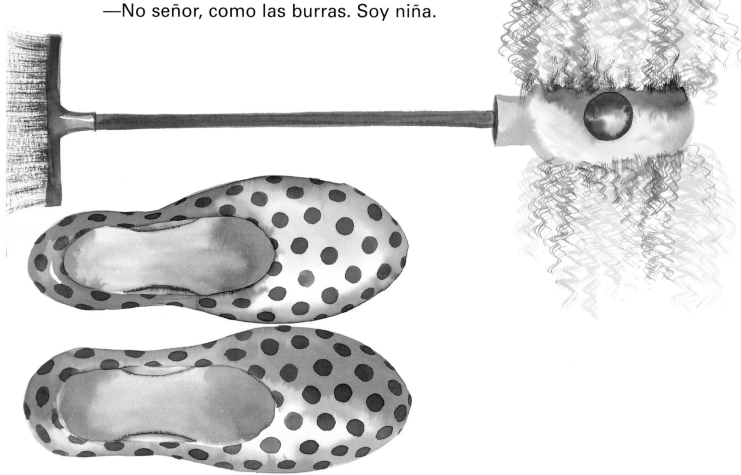

Hubo un silencio extraño. Los ojitos de
Coleta echaban lágrimas de pena.
—Bien. Veamos. ¿Qué sabe hacer?
Los ojitos de Coleta echaban chispas de
alegría.
—De todo. ¡Sé hacer algo!
—Cómo de todo…

—Sí, yo también como de todo —dijo
Coleta nerviosa y añadió:
—Soy payasa, gimnasta, atleta y poeta
(pero esto último a usted no le interesa).
Hago el pino, el sauce y la mosca…
—¿Cómo es la mosca?

—Mire, señor director, la mosca es un
número muy divertido. Revoloteo por la
pista y aterrizo suavemente en la calva de
un señor espectador.
—¿Y de música?
—¡Uy! Toco de todo. Lo que mejor toco es
la tuba.

10

—Sí, pero no vamos a comprar una tuba
sólo para usted. El circo no está para esos
gastos. Además no creo que usted, tan
canija, pueda sostener la inmensa tuba.
—Bueno, pues fuera el número de la tuba.
También toco la trompeta —dijo Coleta.
—Eso «mi gustar» —dijo el director inglés,
y Coleta dijo «yes».

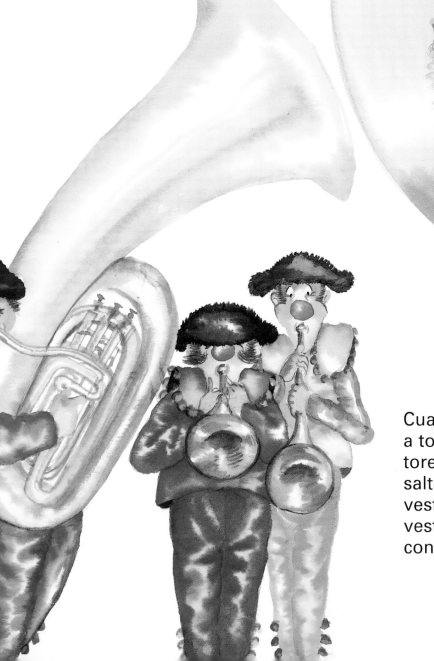

Cuando los músicos empezaron
a tocar un alegre pasodoble
torero,
saltó Coleta a la pista,
vestida de artista,
vestida de payasa,
con traje de seda y gasa.

Pantalón floreado de colores;
con todos los colores del arco iris.
Y un gorro blanco-picudo con plumas,
con todas las plumas del pavo real.
Y unos zapatos grandes con tacones,
con todos los tacones que podía aguantar.
                Y los niños aplaudían.

Coleta llevaba una trompeta
en la mano y mucho miedo en el
cuerpo. Era la primera vez que iba a
hacer el payaso (la payasa) ante gente
que no conocía.
Cuando el foco la enfocó, empezó a
tiritar, sin poderlo remediar, era como
un «baile San Vito» con música de
pasodoble.
                Y los niños aplaudían.

Coleta se acercó a las primeras filas y…
De un niño cogió una risa,
y la convirtió en paloma,
y así otra y otra y otra.
                    Y los niños aplaudían.

Y ahora,
voy a demostrar mi gracia,
haciendo fina acrobacia.

Coleta se quitó el gorro picudo y se puso una chichonera, se
colocó la cabeza entre las piernas y comenzó a rodar por la
pista, como una pelota de carne y hueso.
                    Y los niños aplaudían.

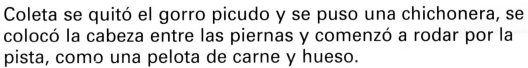

13

A las tres o cuatro vueltas se desenrolló y
mareada y medio bizca saludó.
        Y los niños aplaudían.

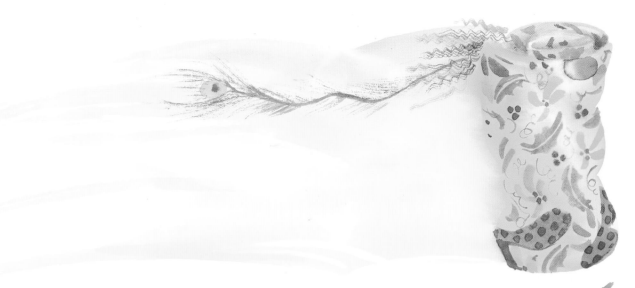

Ahora,
señoras y señores
(niño, no llores)
¡el número de mi mágica trompeta!
—anunció Coleta.

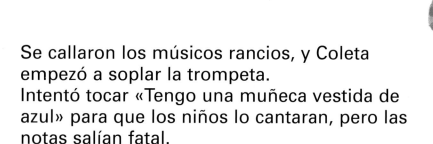

Se callaron los músicos rancios, y Coleta
empezó a soplar la trompeta.
Intentó tocar «Tengo una muñeca vestida de
azul» para que los niños lo cantaran, pero las
notas salían fatal.

Mientras Coleta tocaba cada vez peor, pensaba:
—¡Qué desastre! ¡Se me ha olvidado el teclado de los botones
estos! Soplar, soplo, pero consigo un higo. ¡Qué despiste y yo
en la pista, haciendo el payaso de verdad!... ¡Estoy llorando!
¡Que no se enteren los niños!
¡Angelito de la guarda,
ayúdame!

Y de pronto, de la trompeta de Coleta empezaron a salir
pajaritos de todos los colores que revoloteaban sobre las
cabezas de los espectadores.
        Y los niños aplaudían.

Y los niños saltaron de sus asientos y se avalanzaron sobre Coleta.
Todos los niños querían tocar la coleta de Coleta.
Era un montón de niñas y niños, más una montaña de niñas y niños rodeaban a
Coleta Payasa. Ya no se veían ni las plumas del gorro de la artista.

En esos momentos, Coleta era la Payasa más feliz del mundo, porque todos los
niños querían besarla y porque, gracias a Dios, no tuvo que hacer el número de «la
mosca».

El Oso famoso

Don Oso lloriquea,
doña Osa llora mucho,
su Osito vino herido de cartucho.

(—¡Qué malos cazadores,
que matan por matar,
pisando flores—).

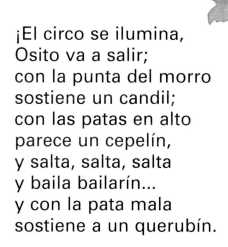

¡El circo se ilumina,
Osito va a salir;
con la punta del morro
sostiene un candil;
con las patas en alto
parece un cepelín,
y salta, salta, salta
y baila bailarín...
y con la pata mala
sostiene a un querubín.

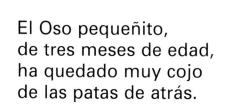

El Oso pequeñito,
de tres meses de edad,
ha quedado muy cojo
de las patas de atrás.

Pity la domadora

Pity, la domadora,
era gordinflona, fuerte
y gigantona.

Trabajaba en el circo
y su «número sensación»
era meter su cabezota
en la boca del león.

En las noches frías
dormía sin temor,
en la jaula con los leones
para tener calor.

Una tarde se oyó un grito...
La domadora de los leones
vio un ratoncito.

¡Socorro! ¡Qué espanto!
La domadora se asustó tanto,
que trepó por la cuerda
(sin saber trepar)
y se pasó la noche en el techo del circo
en un trapecio.

Conclusión:
La domadora Pity
que no tenía miedo de un león,
se moría del susto ante un ratón.

El oso Patoso

Me decía el dueño del circo:
—Un niño
tarda en aprender a montar en bicicleta
tres días.
Un oso
tarda en aprender a montar en bicicleta
¡tres años!

Sí, al oso Patoso me costó domesticarle
tres años,
me costó domarle
tres años
(a fuerza de coscorrones),
y me costó alimentarle
tres millones.
Ahora me gano la vida con el oso
sin sofocones.

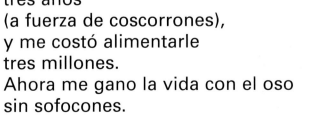

Cuando no hay circo,
el oso Patoso
se pasa el día lloroso.
Se pasa el día gruñendo
el muy pillín,
gruñendo y gritando:
—¡Quiero sillín! ¡Quiero sillín!

Y agarra una rabieta,
si no le dejo la bicicleta.

Mi oso Patoso pedalea
con fuerza y elegancia.
Si le dejo participar
gana la vuelta de Francia.

22

El hombre que sabía volar

Un señor llegó al circo.
—Buenas. Vengo a pedir trabajo.
—¿Y usted qué sabe hacer?
—Yo sé hacer el pájaro.
—Eso lo hace cualquiera.
—No, señor, no lo crea.
—Déjeme en paz,
tengo que hacer esta mañana.
Y el pobre hombre
que buscaba trabajo
salió volando por la ventana.

23

Trabajaba en el circo

Era un gran artista.
Era genial en la pista.
Era un gran equilibrista.
Era una persona lista.

Para combatir el hambre,
andaba por el alambre.
Poco después, paso a paso,
ascendió, se hizo payaso.
Se fue a un pueblo de Madrid,
en el ojal una rosa.

—¿Tú qué haces?
—le preguntaron.
—Hago reír.
—¡Vaya cosa!
—No digas que ¡vaya cosa!
Es la cosa más difícil
y es la cosa más hermosa,
hacer reír a los niños,
hacer reír a la esposa.
¿Lo haces tú?

No digas que ¡vaya cosa!
Hacer sin espina rosa
y de la vida achuchada
hacer nacer carcajada
y de una pistola horrible,
sacar palomas queribles.
¿Lo haces tú?

Mari Sarmiento

Aparece Mari Sarmiento de repente,
era tan delgadita como un palillo de diente;
vivía sola sin ningún pariente.

Como era delgaducha
quiso ser modelo.
Pobre Mari Sarmiento,
fue a la ciudad
y se la llevó el viento.

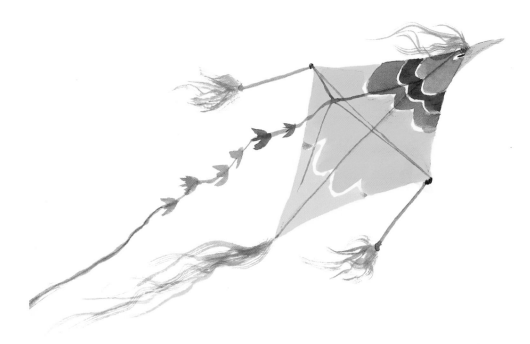

Volando, volando aterrizó en Pekín,
y como no sabía chino
a todo decía sí.

—¿Quieres que sea tu amiga?
—Sí.
—¿Quieres trabajar en el circo?
—Sí.

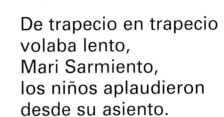

De trapecio en trapecio
volaba lento,
Mari Sarmiento,
los niños aplaudieron
desde su asiento.

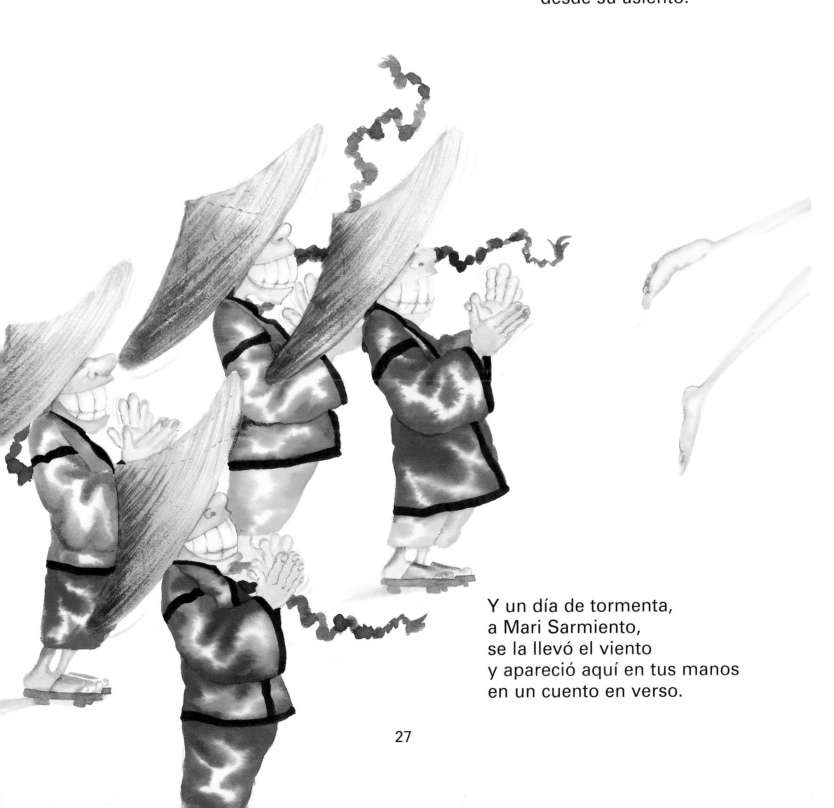

Y un día de tormenta,
a Mari Sarmiento,
se la llevó el viento
y apareció aquí en tus manos
en un cuento en verso.

27

Los delfines

Los delfines payasos,
saltan, bailan, juegan
y hasta cantan amaestrados.

Con el morro juegan al baloncesto
¡y qué bien encestan en el cesto!

Al cloro de la piscina se tienen que acostumbrar
y echan de menos la sal de su mar.

El delfín payaso
no hace mucho caso
a los niños y niñas
que aplauden desde la barandilla.

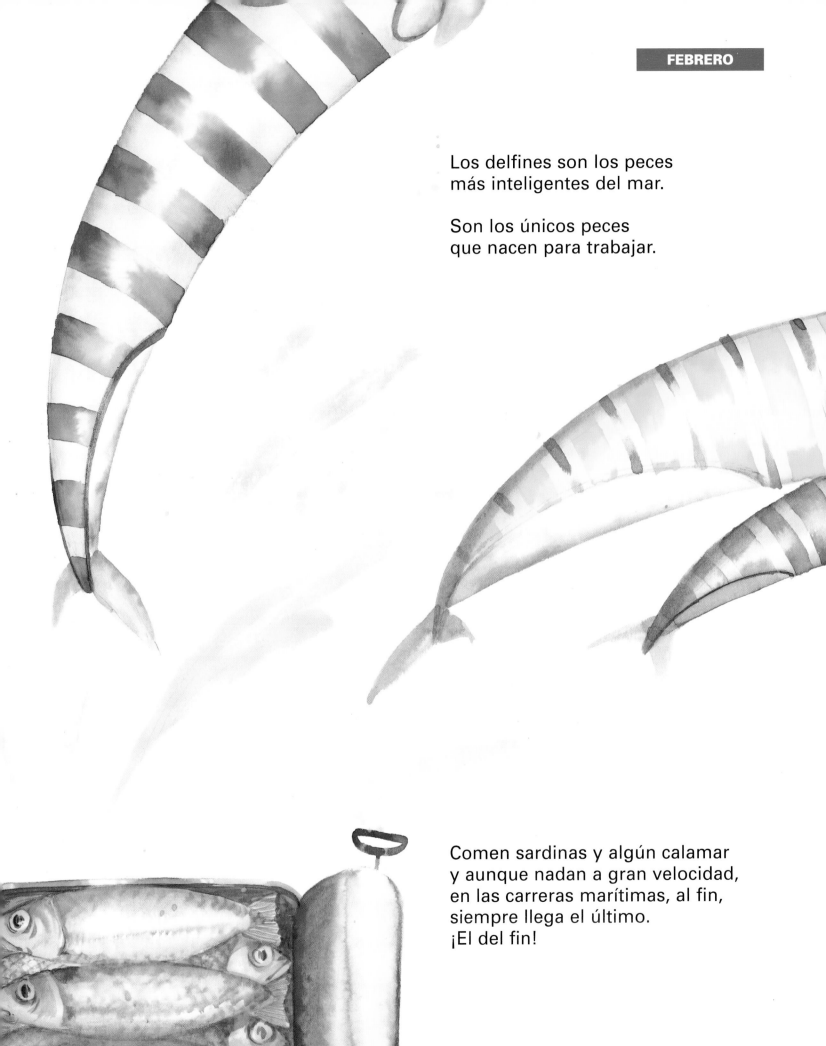

Los delfines son los peces
más inteligentes del mar.

Son los únicos peces
que nacen para trabajar.

Comen sardinas y algún calamar
y aunque nadan a gran velocidad,
en las carreras marítimas, al fin,
siempre llega el último.
¡El del fin!

San Mago Bendito

El mago Ajofrito
era
árbitro con pito.
El mago chistoso
tenía chistera.

El mago bombero
trepa la escalera.
Y de su chistera,
saca vaca entera,
y si se equivoca,
saca una foca.

30

Y si estornuda,
saca una sirenita
desnuda.

Saca seis aros
de la chistera,
como es mago
de tomo y lomo,
los empalma
no sé cómo.

En la solapa se pone un rosal,
el rosal se convierte
en paloma de paz.

Porque el mago Ajofrito
era San Mago Bendito.

31

El clown

Arremete de cabeza
a la tristeza del pellejo del tambor,
el clown,
y se mete de patitas en la tina del sifón
el clown.

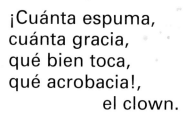

¡Cuánta espuma,
cuánta gracia,
qué bien toca,
qué acrobacia!,
el clown.

De un niño coge una risa
y la convierte en paloma
y así otra y otra y otra,
el clown.
Y vestido de Quijote
se hace un nudo en el cogote,
el clown.

Y usando de Rocinante a su escudero
sale en cueros.
¡Qué despiste!
A lo serio, a lo formal, cómo embiste.
¡Lágrima en ristre!
el clown.

32

Calixto, el calamar listo

Esto era un calamar,
que nació dentro del mar.
Nació entre rocas y erizos,
voy a contar lo que hizo.
Se llamaba Calixto el listo.

En el colegio del fondo del mar era el primero de la clase
nuestro calamar (el último era el «del-fin»).
El maestro, que era un besugo, no le llamaba «Calixto el
listo», le llamaba «Calixto el tintero»,
porque tenía más tinta que sus compañeros.

Calixto, el calamar, era feliz por la mar,
tenía los brazos muy largos,
hubiera triunfado jugando al
baloncesto, pero le gustaba escribir
cuentos,
tenía tinta para rato e ideas no le
faltaban, el calamar era muy
gracioso e imaginativo, escribía
cuentos de sirenas-princesas,
de estrellas de mar y de peces
de colores... Cuando los leía,
en alta voz y en alta mar,
todos sus hermanos los cefalópodos
se reían de los peces de colores.

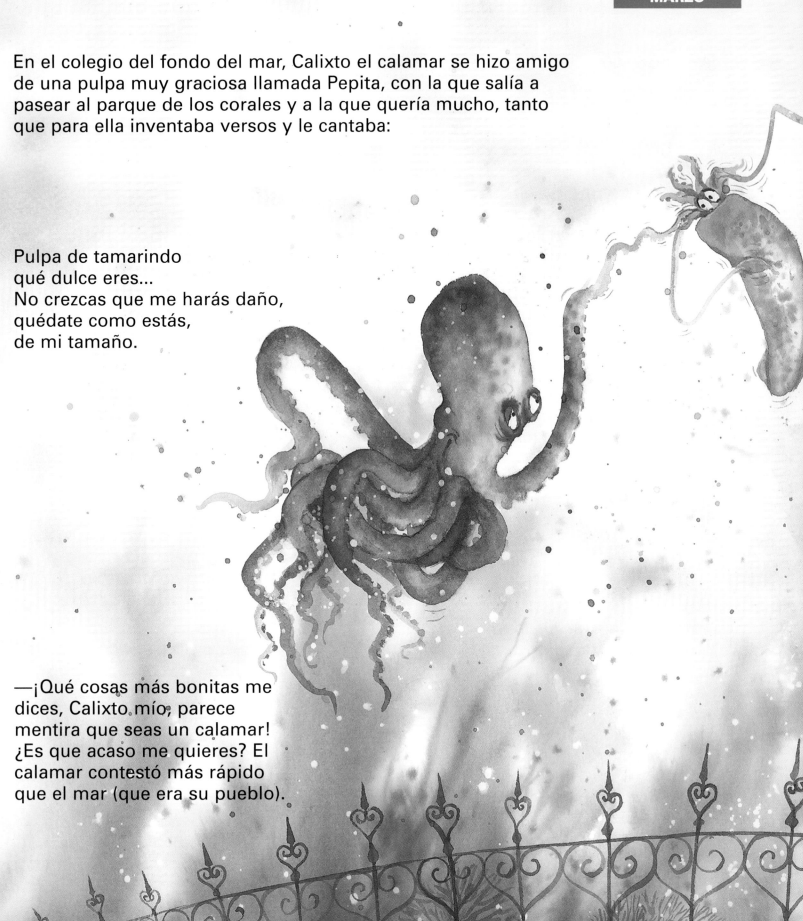

En el colegio del fondo del mar, Calixto el calamar se hizo amigo
de una pulpa muy graciosa llamada Pepita, con la que salía a
pasear al parque de los corales y a la que quería mucho, tanto
que para ella inventaba versos y le cantaba:

Pulpa de tamarindo
qué dulce eres...
No crezcas que me harás daño,
quédate como estás,
de mi tamaño.

—¡Qué cosas más bonitas me
dices, Calixto mío, parece
mentira que seas un calamar!
¿Es que acaso me quieres? El
calamar contestó más rápido
que el mar (que era su pueblo).

—Claro que te quiero, pulpita mía, aunque no somos como Romeo y Julieta, y cuando seamos mayores no nos podremos casar, porque tú eres de la familia de los Pulpos y yo de la familia de los Calamares, y no es que nuestras familias se odien, como los humanos, es cuestión de la naturaleza, nadie tiene la culpa, pulpa, tú te harás muy grande, tus tentáculos (perdón), tus ocho bracitos de hoy, serán el terror de los navegantes y yo, yo me quedaré como estoy, hecho un enano calamar... Pero ahora, cuando te veo, mi corazón me palpita, pulpita Pepita, daría toda mi tinta por ti.

Y así fue.

Como bajo el mar sucede lo mismo que sobre la tierra, cuando el calamar y la pulpa (Calixto y Pepita) más felices estaban, riendo, jugando a «hacerse un lío», entrecruzando sus dieciséis brazos o patas (que en realidad se llaman tentáculos)...

Apareció un cachorro de cachalote (pez grande) enseñando todos sus dientes y todas sus ganas de comer.

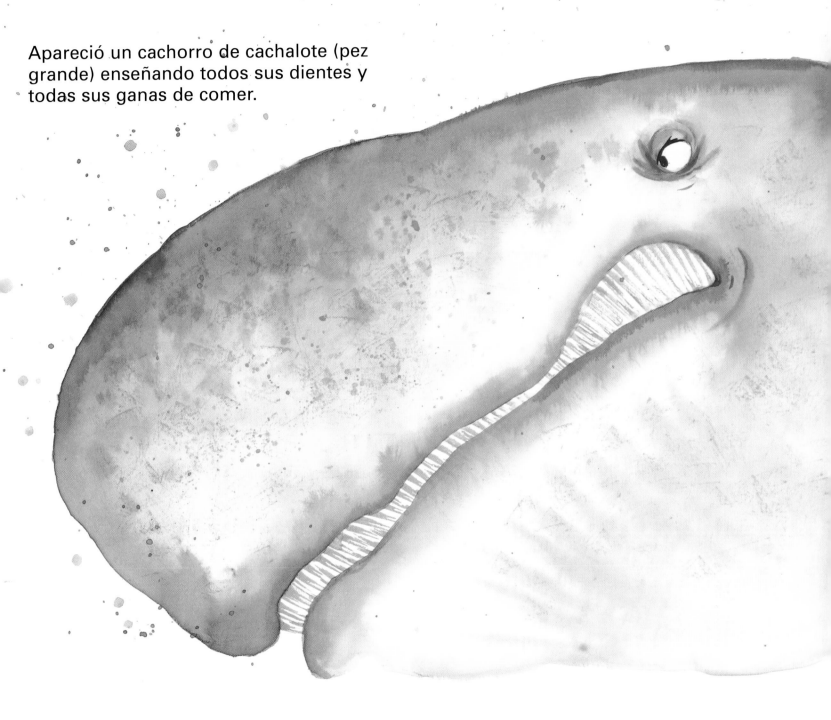

El calamar gritó:
—¡Cuidado, Pulpa de Tamarindo!
—¿Qué hago? —preguntó la pulpa.
—Tú nada.

—Pero puedo hacer algo...
—Nada, muchacha, nada —pero del verbo
nadar—. ¡Huye! Yo me encargo de este
león de mar que parece un autobús...

La pulpa nadó y su calamar la salvó, dando toda su tinta (casi su vida) por ella.
Porque, cuando el calamar Calixto descargó toda la tinta de su cuerpo y nubló
los ojos del feroz cetáceo (pez grande), el feroz pez grande, como no veía ni
gota en el mar, se enfureció y dio al calamar Calixto un fuerte colazo —con la
cola, claro— que le dejó sin sentido, sin tinta y sin sentido de la orientación.

Calixto no sabía dónde estaba.

—¡Ay, ay! ¡Qué dolor, qué pena!... Me veo escayolado, ese bestia de ballenato me ha roto por lo menos tres tentáculos... ¡Ay, qué mal ando —digo—, qué mal nado! ¡No puedo girar! ... ¡Ay, ay, ay!

Gracias a que pasó por allí un hipocampo (caballito de mar de alquiler) y se subió en él, el hipocampo le llevó hasta su roca.

—¿Qué habrá sido de mi pulpa, pulpita Pepita? —se preguntaba. Nada. Nada. Nada. De su pulpa, pulpita Pepita, el calamar no volvió a saber nada.

Pasó el tiempo, el mar seguía igual en sus sitio, como siempre, azul, con sus olas azules por arriba y sus peces rojos por abajo.
Calixto, el calamar, no seguía igual, cambió de sitio y de estado, se casó con una calamara de su edad y tamaño y tuvieron muchos chipirones.

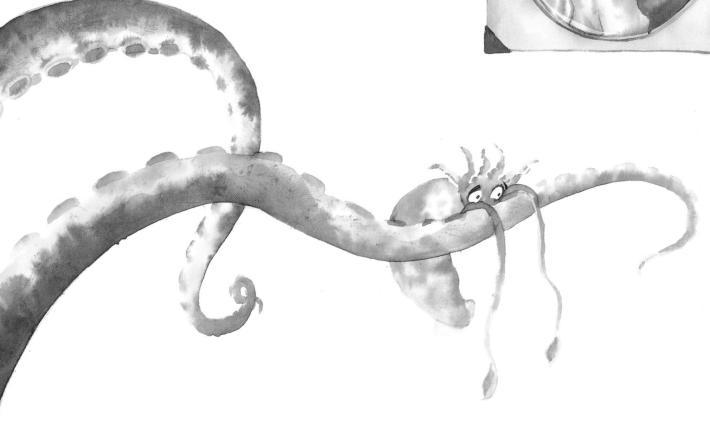

Hace unos días, estando el calamar Calixto «pescando» chanquetes, se le acercó una cosa enorme que intentaba estrangular a una serpiente de mar. Calixto el calamar, miraba la escena asustado y asombrado...

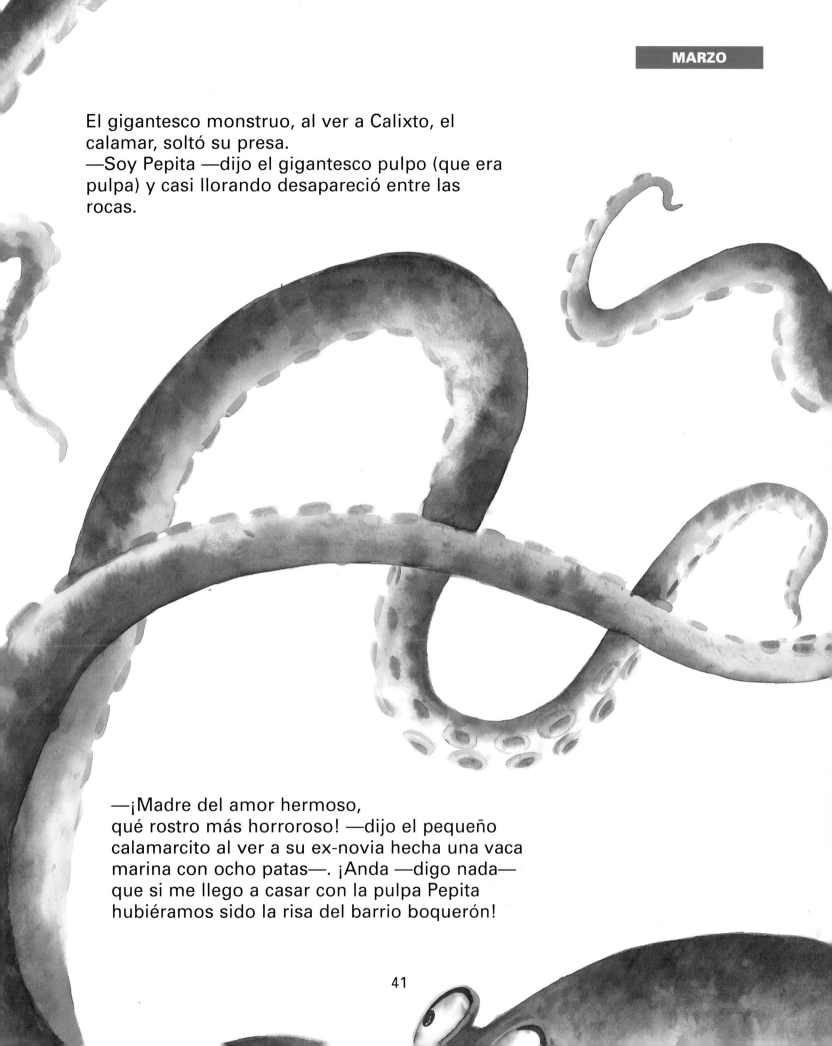

El gigantesco monstruo, al ver a Calixto, el
calamar, soltó su presa.
—Soy Pepita —dijo el gigantesco pulpo (que era
pulpa) y casi llorando desapareció entre las
rocas.

—¡Madre del amor hermoso,
qué rostro más horroroso! —dijo el pequeño
calamarcito al ver a su ex-novia hecha una vaca
marina con ocho patas—. ¡Anda —digo nada—
que si me llego a casar con la pulpa Pepita
hubiéramos sido la risa del barrio boquerón!

41

El calamar Calixto tenía corazón y reconoció que la seguía queriendo.
—¡Quiero encontrarla, que seamos amigos!
Calixto pensó que ni el color ni el tamaño tienen que ver con quererse.
—Yo, ocho centímetros de alto, y pulpa ¡dos metros!, pero ¡qué importa! ¡La quiero!

—Me salvaste la vida, calamarcito dulce. Yo también te
quiero —dijo la pulpa apareciendo.
Y nació la amistad.
Y la pulpa abrazó con sus ocho tentáculos al pequeño
calamar.
Y sonó la música del mar.

Quinientos quilos de corazón

La ballena azul
nació en el Mediterráneo...
Nadando, nadando
cruzó el ancho estrecho
y llegó una mañana
a la costa africana.
Se quedó en la costa africana
porque le dio la gana.

La robaron del mar,
que era su dueño
y la pescaron los noruegos.
Sólo su corazón pesaba
media tonelada.
La ballena azul
estaba enamorada.

El cotorro de Cascorro

El cotorro de Cascorro
nació en Madrid,
hijo de una cotorra
de Guayaquil.

La dueña del cotorro
de Cascorro
le cortó las uñas
y le hizo un gorro.

El cotorro de Cascorro
era de lo que no hay,
decía:
Contra lo «chungo»,
lo «guay».
Contra lo «chungo»,
lo «guay».
Así lo dijo,
porque era más chulo
que un botijo.
Cuando llegó a mayor
le metieron una cotorra
en la jaula.
El cotorro feliz dijo:
—Tengo una alumna en
el aula.

La cotorra por la jaula
trepa que trepa.
Y el cotorro recitando:
¡Viva la Pepa! ¡Viva la Pepa!

Conversación telefónica en la selva

—Ring, ring, ring...
—¿Quién ruge?
—¿Está con-Chita?
—No, estoy con Tarzán.

—¿Con quién hablo?
—Con Marisán
la novia de Tarzán.
—Que se ponga Tarzán.
—No puede ser,
se ha ido de compras.
—¿Qué va a traer?
—Plátanos, chirimoyas
y flores del vergel.
¿Y quién eres tú?
—Soy la mona Lisa,
la que le lavaba la camisa.

(Marisán celosa):
—Bueno, mona,
pues lávate el rabo,
Tarzán es ahora mi novio,
al fin y al cabo.

45

La foca arpada

La foca arpada toca el arpa,
junto a su carpa.
La foca arpada
vive en Canadá.

En los mares helados
sobre nevada roca,
dijo el foco a la foca:
—Foca, foca,
tu tipo me desboca.
—Tú eres poeta, tú eres poeta
—dijo la foca al foco
aplaudiendo con sus aletas.

46

Una de gatos

El gato Pirracas
estaba helado,
el gato Pirracas
vivía en el tejado.

La gata Timotea
con las patas se asea,
la gata Timotea
vivía en la azotea.

«Bájate conmigo,
gato; salta, gato,
no seas pato,
tengo comida de lata»,
le dijo la gata.

La gata y el gato
tuvieron amistad,
y tuvieron gatitos.
¡No faltaba más!

Siete gatitos
tuvo Timotea,
al calor de las siete
chimeneas.

Y Pirracas fue el gato más feliz
de los castizos
tejados de Madrid.

Los tres pingüinos

Eran tres pingüinos
que se llamaban

PIN

GÜI

NO.

Pin quería a Güi
y Güi quería a No,
por eso el pobre Pin
estaba siempre so,
(solo).

Lo único que Pin
conseguía de No
era que siempre No
le hablaba sobre Güi.

Se cansó el pobre Pin
de tal desolación,
y se marchó por fin,
del Polo Sur al Polo Nor.
Y ya sólo en el Polo,
el pingüino Pin
se pasaba los días
escribiendo a Güi.

Mosca y mosquito

—Soy una mosca,
me quiero casar
con un mosquito
que sepa volar.

—Soy un mosquito,
me quiero casar
con una mosca
que sepa bailar.

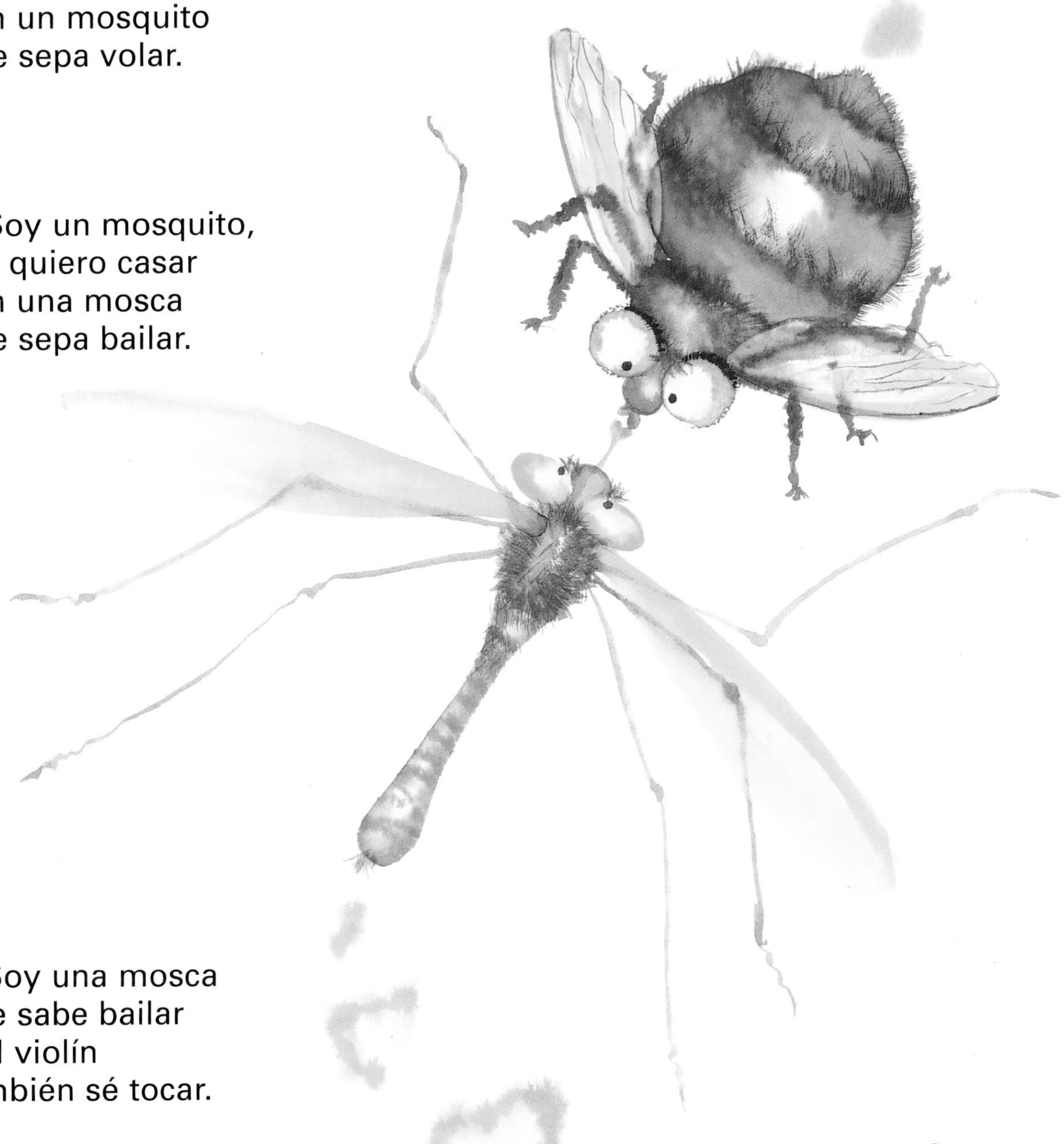

—Soy una mosca
que sabe bailar
y el violín
también sé tocar.

—Ti-ri-ri-ri,
ti-ri-ri-ra;
con mis patitas
yo llevo el compás.

—Soy un mosquito,
ti-ti-ri-ri;
a nadie pico,
y vivo feliz.

49

El arroyo y la montaña

El arroyo era un niño de agua.

Su padre, Lago, y su madre, Lluvia, lo
criaron entre piedras, musgos y
majuelos. El arroyo, como no tenía
hermanos para jugar, se hizo amigo de la
montaña pequeña, llena de caléndulas y
perdices, y así eran felices.

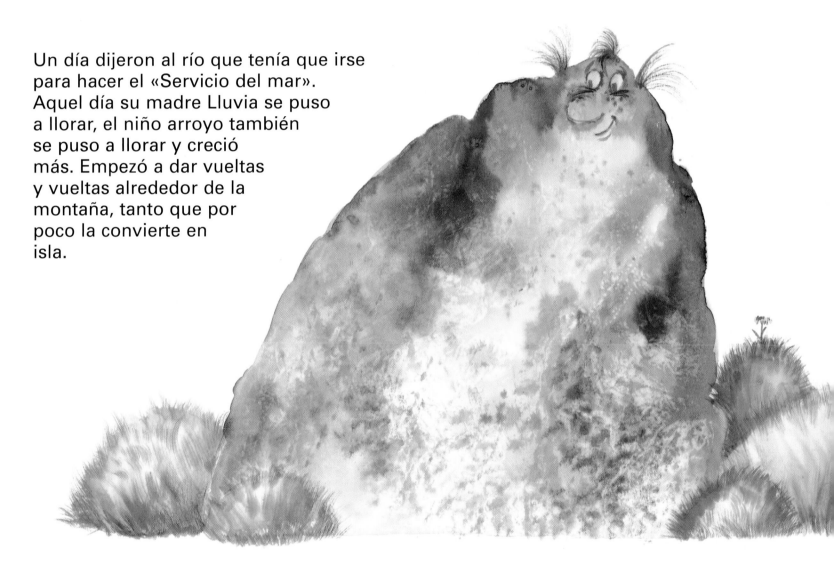

Se divertían jugando a hacer fuentes y grutas, y a hacer crecer los árboles y frutas.

La niña montaña crecía poco a poco, pero el niño arroyo pronto estuvo hecho un hombre —o sea, un río—.

Un día dijeron al río que tenía que irse para hacer el «Servicio del mar». Aquel día su madre Lluvia se puso a llorar, el niño arroyo también se puso a llorar y creció más. Empezó a dar vueltas y vueltas alrededor de la montaña, tanto que por poco la convierte en isla.

51

El río pidió a su padre Lago y a su madre Lluvia que le permitieran quedarse allí con su amiga la montaña.

—No es posible, hijo; tú eres lo que eres, un río y no puedes ser laguna.

—Yo no quiero ser laguna, lo que quiero es estar aquí, y lo que no quiero es ir a hacer el «Servicio del Mar», al mar, que ya tiene bastante agua.

—¡Pero río! —dijeron sus padres a dúo.

Aquella noche hubo un terremoto.
La montaña, asustada, se escondió hacia abajo y el joven río se enroscó hacia
arriba.

A la mañana siguiente...
    El paisaje era imponente.
    Había nacido un nuevo lago en la comarca,
    por el que asomaba la montaña feliz,
    la punta de su nariz.
    Y la amistad reinó entre ellos.

Avería en el mar

El mar se acaba en el mar,
en su tejado de olas,
que tienen forma de tejas
y forma de caracolas.

En los tejados del mar,
adivinanza,
las brujas son los delfines
y los gatos las sardinas.

En los tejados del mar,
cuando se rompe una teja,
se sale el mar como loco
y se asustan las sirenas;
a esto lo llaman avería,
otros lo llaman galerna.

Y Dios es el albañil
que baja a arreglar las tejas.

54

A la prima Primavera

—Tío Pío,
en el «cole» me han pedido
que escriba una poesía
a la prima Primavera.
¿Tú quieres que te la lea,
y me dices lo que opinas?
—Sí, sobrina.

Se oye un pío, pío, pío,
junto a la orilla del río.
¡Oh!, cosa maravillosa,
los árboles tienen hojas,
las mariposas tienen ojos,
la ristra tiene ajos.
Junto a la orilla del río
todo es belleza y sonrío,
se oye un pío, pío, pío.

La Primavera ha venido
y yo la he reconocido,
por el pío, pío, pío.
—¿Qué te ha parecido, tío?
—Demasiado pío, pío.

55

Abril

Sin más candil
que la luz de la luna
en el jardín.

Azulinas moradas
y rojas rosas
bailan y saltan unas con
otras.

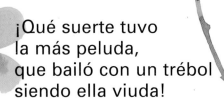

¡Qué suerte tuvo
la más peluda,
que bailó con un trébol
siendo ella viuda!

¡Qué suerte tuvo,
rosita coja,
que bailó con un trébol
de cuatro hojas!

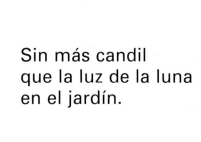

Sin más candil
que la luz de la luna
en el jardín.

56

La manzana reineta

Era una manzana reineta.
Era la reina de las manzanas
de la huerta.
La manzana reineta
se llamaba Enriqueta.

Como brillaba más que un diamante,
a la manzana reineta
la pintó un pintor-poeta.

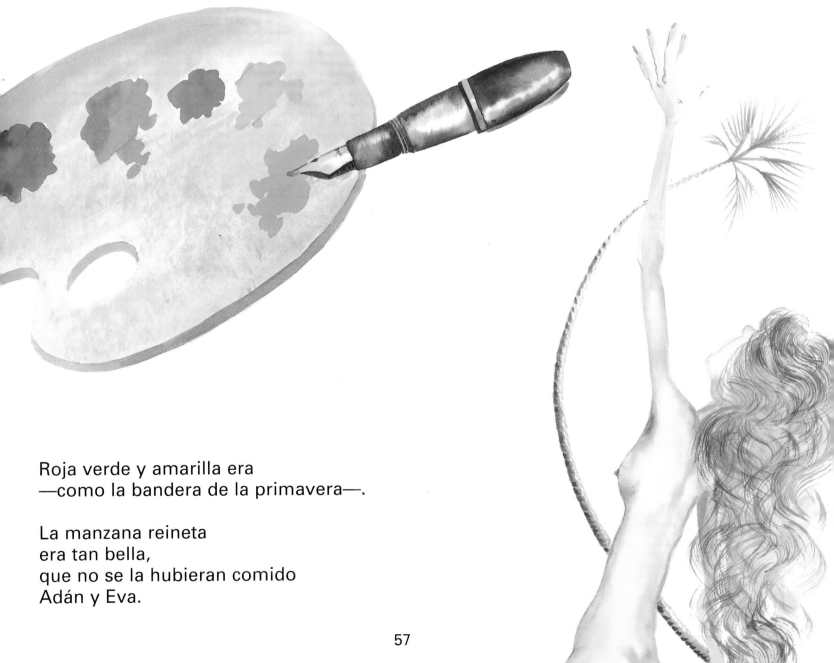

Roja verde y amarilla era
—como la bandera de la primavera—.

La manzana reineta
era tan bella,
que no se la hubieran comido
Adán y Eva.

57

El río recién nacido

El poeta de ciudad
se va al campo a respirar.

Montado en su bicicleta,
va a la montaña el poeta.

No se oye nada. ¡Silencio!
Sólo se oye al viento lento.

(El poeta canta,
y a los mosquitos espanta.)

—¡Mira un lirio!
¡Qué delirio!
Huele a tomillo y a menta,
este aire puro alimenta.

De pronto, una cosa mágica descubre,
chorrito de agua a la montaña cubre.
El río recién nacido,
un hilo de agua entre piedras,
míralo, no te lo pierdas.

(El agua recién nacida aún sabe a nieve).
Es agua clara y fresca,
el poeta se refresca.
¡Agua en la piedra!
Es algo de belleza que nace.
El saltamontes salta,
la oveja pace.

El poeta volvió alegre a la ciudad
del ruido y del coche,
volvió de noche,
y dijo: ¿Sabéis por qué me río?
¡Porque he visto nacer un río!

Llueve

Llueve,
Adán y Eva
se duchan desnuditos
en la alameda.

Llueve,
cae agua viva
y al caer se muere.

Llueve,
cae agua pura,
al tocar la tierra
se hace barro y basura.

Llueve,
el campesino
se pone alegre.

Llueve,
y en la ciudad
los coches se atascan,
no saben andar.

Llueve,
Adán y Eva se duchan
desnuditos
en la alameda.

El gnomo Miniboy

El gnomo Miniboy
era un gran aventurero,
se escapó del bosque
y recorrió el mundo entero.

El enanito
llegó a la ciudad,
y se asustó de tanto autocar.

El enanito Miniboy
era pequeño como una lenteja
y balaba como una oveja.

El enanito Miniboy
era pequeño como un cigarro
y por poco se ahoga en el barro.

Llovía.
Una caja de cerillas
fue su barco,
y por poco se ahoga en
un charco.

Y dijo Miniboy: Me asustan más los coches, que en la selva las noches.
Prefiero un león hambriento, al tráfico en movimiento.
¡Al bosque me voy, que cansado estoy!

Los regalos de Pepito

Pepito era el único nieto.
Y nunca se estaba quieto.
(Se parece mucho a ti,
tampoco sabe escribir).

Pepito tiene cinco años
y no le gustan los baños.

El día de San José
le regalaron yo qué sé...

Llena de juguetes
una habitación.

Una bicicleta,
un camión,
unos patines,
un balón.
Una jaula con su paloma.
Un columpio, una noria
y muchos cuentos de Gloria.

Una caja de pinturas,
plastilina «pa» esculturas.
Tarjetas de arte de Roma,
caja de insectos de goma...

¡Y Pepito escogió la araña peluda!
La madre se quedó muda.
El padre patidifuso.
Al abuelo le dio un
patatús de abuso,
y la abuela de los
nervios se
puso.

Y a coro gritaron: ¡Jolín con los chavales!
¡Este niño no está en sus cabales!

(¡Pepito llegó a ser profesor de Ciencias
Naturales!).

El hombre de nieve

Los niños hicieron
un hombre de nieve,
con brazos y piernas
y sombrero verde.

Lo hicieron muy gordo,
con una sonrisa,
muy grande, muy prieto,
y se le veía
desde todo el pueblo.

No nieva, no llueve,
salió el sol un día
y el hombre de nieve
ya no se reía.

El hombre de nieve
empezó a adelgazar,
los rayos de sol
le sentaban mal.

El hombre de nieve
se iba deshaciendo,
y lloraba arroyos
desapareciendo.

El hombre de nieve
se convirtió en lago,
donde los niños se bañan
durante el verano.

A mi amigo Sol

Sol, astro amigo,
Rey de los astros,
sé que sin ti
nada nace en el campo.

Sol, astro amigo,
yo te bendigo,
vente conmigo.
¡Ya somos dos!

Sol, astro amigo,
me das mi sombra
y juegas conmigo.
¡Ya somos tres!

Como un perrito me sigue
mi sombra asombrada.
Corro y la sombra corre,
me paro y se para,
río y se ríe,
salto y salta.

Tengo buena sombra
Sol
gracias a tu gracia.

69

El ratoncito y el elefante

Era en la selva,
y en un rincón,
el elefante
dice al ratón:

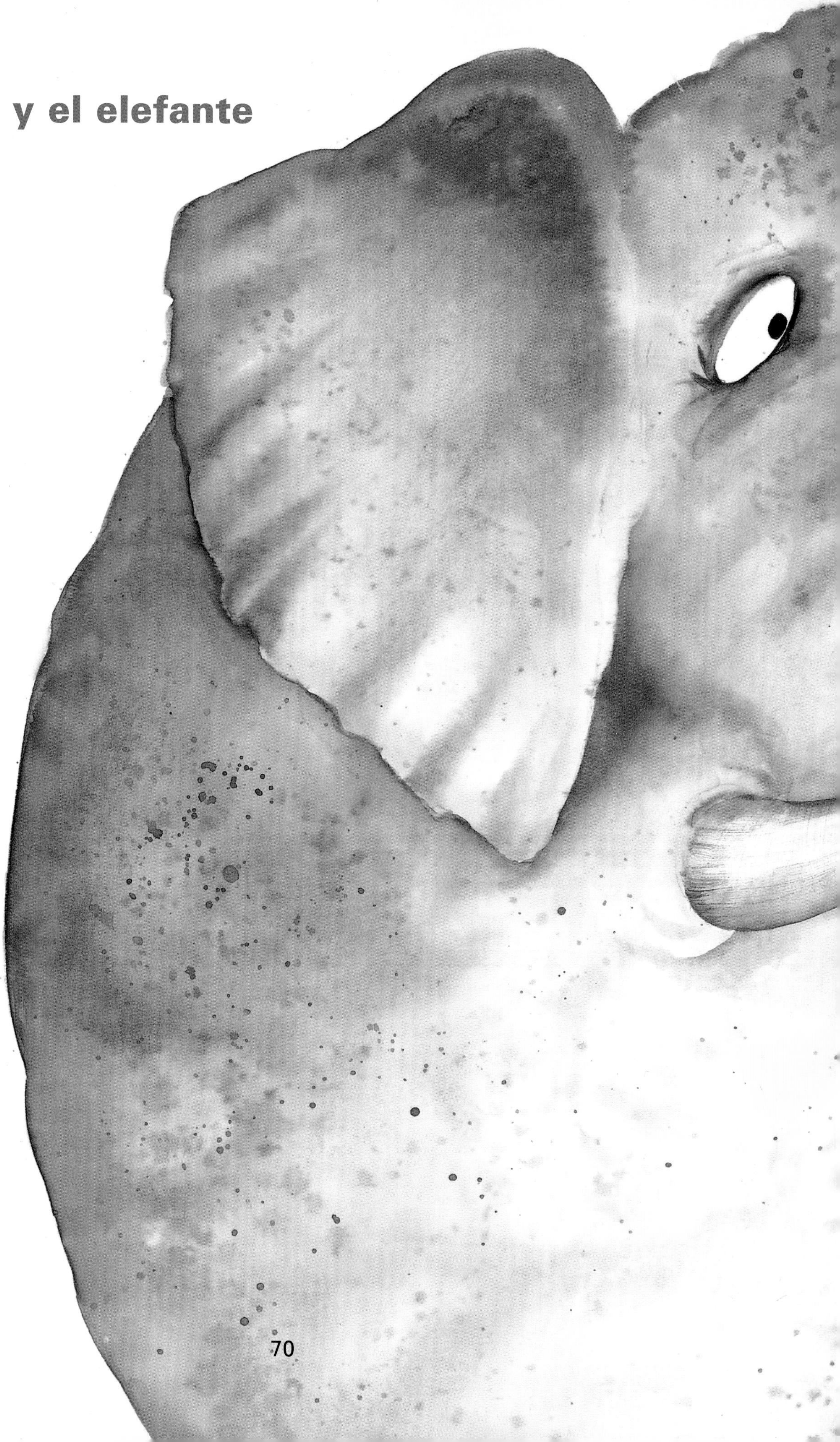

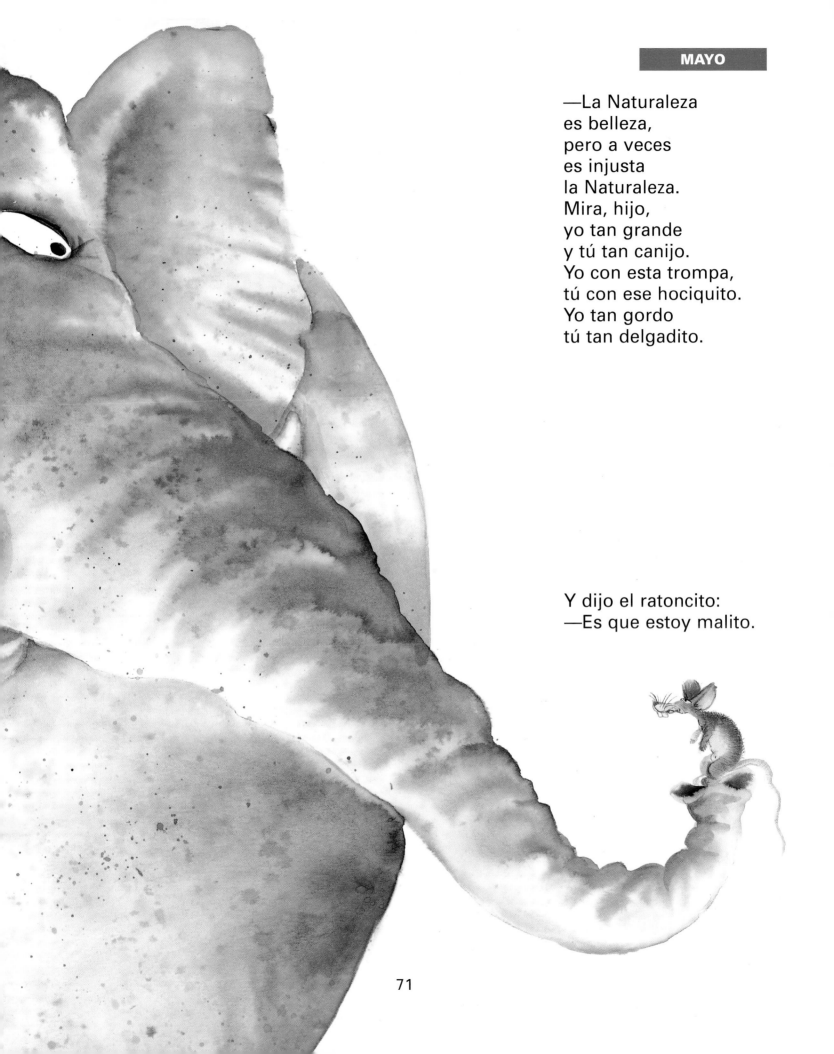

—La Naturaleza
es belleza,
pero a veces
es injusta
la Naturaleza.
Mira, hijo,
yo tan grande
y tú tan canijo.
Yo con esta trompa,
tú con ese hociquito.
Yo tan gordo
tú tan delgadito.

Y dijo el ratoncito:
—Es que estoy malito.

71

Humo y ruido

Pasa una moto.
¡Qué humo!
Pasa un autobús.
¡Más humo!
(Me consumo).

¡Vámonos al campo!
En el campo hubo silencio.
Hoy fábricas de cemento,
el río contaminado
y los árboles pelados.

No hay pulmones
ni tímpanos
que lo aguanten.
(La ciudad no es como
antes).

Por eso,
hay que cuidar el progreso.
¡Que no sea retroceso!

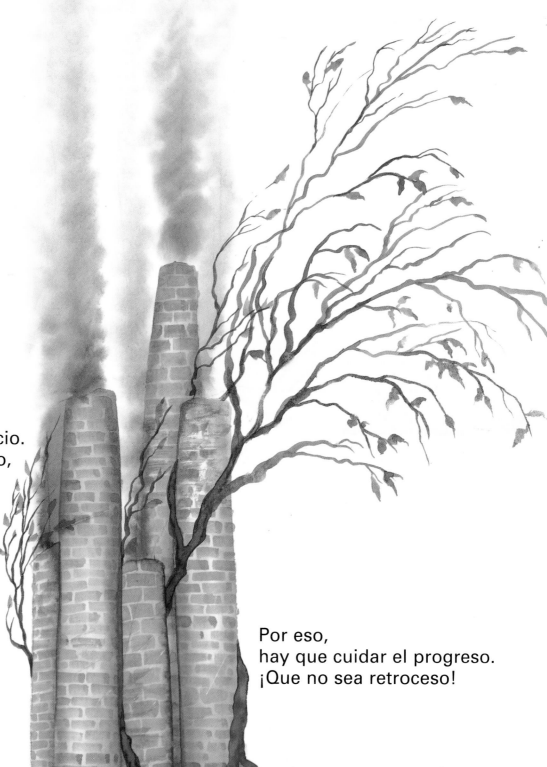

Donosito, el oso osado

Donoso era un oso que no crecía y por eso le llamaban Donosito.
Vino del bosque a la población, después de su aventura con el Dragón.
Donosito se enfadó con el Dragón cuando el Dragón grandullón le mordisqueó
las orejas.

Donosito fue bien acogido en el pueblo. ¿Por qué no? Si era un oso gracioso,
inofensivo y cariñoso. Un oso que jugaba con los chicos y divertía a los mayores.

73

Como le vieron tan pequeño, le mandaron a la Escuela y allí se sentaba quietecito mirando al profesor.

No sabemos si entendía, pero atendía, observaba como un búho, hablar no hablaba, pero se fijaba mucho.

En la Escuela estaba el oso Donosito cuando...

El tranquilo pueblo perdió su tranquilidad. Una nube de pajarracos cayó sobre las calles y plazas sembrando el pánico, picando a todo el mundo y comiendo todo lo que pillaban.

Eran las temibles ocas locas. Nadie sabía de dónde habían venido ni cómo luchar contra ellas, pues el pueblo era muy pacífico y no tenían ni palos.

Las ocas locas se metían por las ventanas, por los corrales y por los establos ladrando peor que perros, graznando todas juntas, haciendo un ruido infernal de tormenta sin relámpagos.

El maestro cerró con cerrojo la escuela para proteger a sus chicos y aunque el reloj había dado las doce, ¡las doce de la noche!, hacía doce horas que de allí, de la escuela, no salía nadie.

No salía nadie, pero Donosito el oso osado, salió.
—Le voy a desobedecer, señor maestro. Usted me perdonará, señor maestro. Es la primera vez y la única que le voy a desobedecer, señor maestro.

76

Y diciendo esto, y haciendo un número de circo, Donosito se metió en la estufa, trepó por el tubo de la chimenea, salió al tejado, corrió a saltos inmensos hasta la plaza, se subió a la farola de la fuente, sacó el pecho como un Tarzán peludo... y lanzó un estruendoso estornudo.

Las ocas locas que estaban revoloteando se cayeron de bruces.
Poco duró el silencio. Donosito estaba acorralado por las ocas, que esperaban el momento de quitarle el «abrigo de piel» a picotazos.

—¡Hermanas ocas, hermanas ocaaaasss! —habló el osito con cariño de niño—. Hermanas ocas, os diré dos cosas: cerca de aquí hay un lugar lleno de lombrices y de fresas sabrosas, donde podéis vivir tranquilas sin hacer daño… daño… ¡Ay, qué daño!

Una oca le dio un terrible picotazo en la cabeza y le llevó el gorro de lana. Donosito mostró sus orejas mordisqueadas, mutiladas por el Dragón.

Donosito se vio en el espejo del pilón y lanzó un potente gruñido de oso feroz. Porque… cuando a Donosito le daba el aire en las orejas (que no tenía) crecía y crecía y crecía la fuerza y llegaba a hacerse un oso enorme de pelo en pecho.

Y así que vieron este extraño suceso las ocas locas emprendieron la retirada pueblo abajo hasta perderse en la lejanía.

Poco a poco, milagrosamente, volvió el
silencio al pueblo.
Donosito encontró su gorro de lana, se lo
puso y volvió a su tamaño pequeño de
osito normal.

Chirriaron las puertas al abrirse despacio.
Volvieron a chirriar las chicharras, volvieron a
cotorrear las cotorras, volvieron a cantar los
pájaros y a jugar los niños.

Salió el señor Alcalde, la Alcaldesa, la banda de música, todo el vecindario, chicos y grandes, perros y gatos, todos felices salieron a celebrar el feliz acontecimiento del final del peligro pasado.

Todos felices dieron gracias a Dios.
Donosito el héroe, el oso osado, también dio gracias a Dios juntando sus zarpitas, y nunca dijo a nadie que fue él el que hizo huir a las ocas locas.

La panda de los mocosos

La panda de los mocosos
era el terror del parque.

Era una panda de enanos
(no eran enanos,
eran pequeños de siete a doce años).
No eran enanos, eran hermanos.
Todos los días
hacían sus fechorías.

Con su patines de ruedas,
empujar a las abuelas,
romper farolas,
dar pelotazos
a las señoras.
Y su favorita travesura,
volcar cubos de la basura.

Al más tranquilo y cariñoso
de los hermanos horrorosos
le pregunté: —¿Por qué te llaman
«El Campana»?
—Porque soy tontín, ton, tin.

MORALEJA: Que la gente
aprenda,
que el bueno no es tonto,
es gente estupenda.

83

Los magos de Occidente

Los magos de Occidente
(no de Oriente)
no eran tres,
eran cuatro.
El Mago Polvo,
el Mago Migas
el Mago Pupa
y el Mago Daño.

Los magos de Occidente
eran soldados,
recorrían Europa
en carros blindados.

Balas y granadas (por todos los lados).
¡Vaya juventud que nos ha tocado!
Nos dieron granada, no el fruto,
la bomba de mano.

Lucha en cataclismo.
(Magos de Occidente
para defenderse
hacían lo mismo).

85

El Mago Polvo
quedó hecho polvo.
El Mago Migas
quedó hecho migas.
El Mago Pupa
quedó hecho pupa.
Y el Mago Daño
(en silla de ruedas un año).

Cuando volvieron de la guerra mordaz,
se fueron a apuntar al Club de la Paz.

Caníbales canes

Caníbales canes
mordían las flores,
las flores perdían sus siete
colores.

Del bosque salían
salvajes caninos,
los ciervos recorren
sus siete caminos.

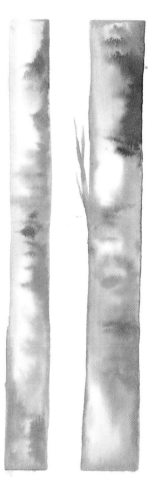

Caníbales canes
quieren devorarlos
y los ciervos corren
más que dinosaurios.

—Peor que los perros
se portan los hombres
con sus escopetas.

87

Habla el lápiz con la goma de borrar

EL LÁPIZ   Yo soy el rey de la escritura.

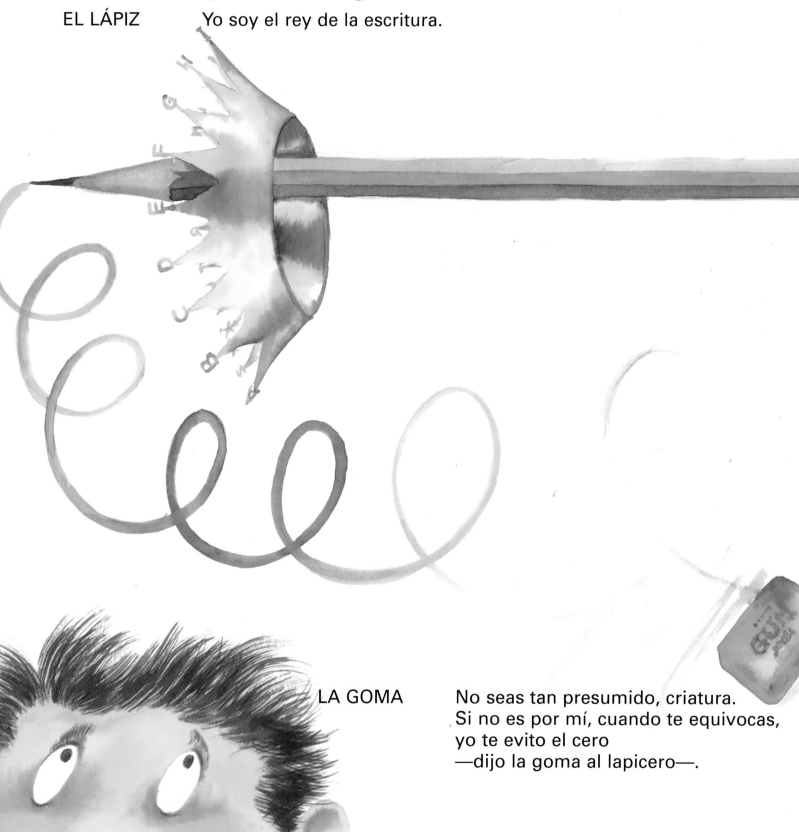

LA GOMA   No seas tan presumido, criatura.
Si no es por mí, cuando te equivocas,
yo te evito el cero
—dijo la goma al lapicero—.

88

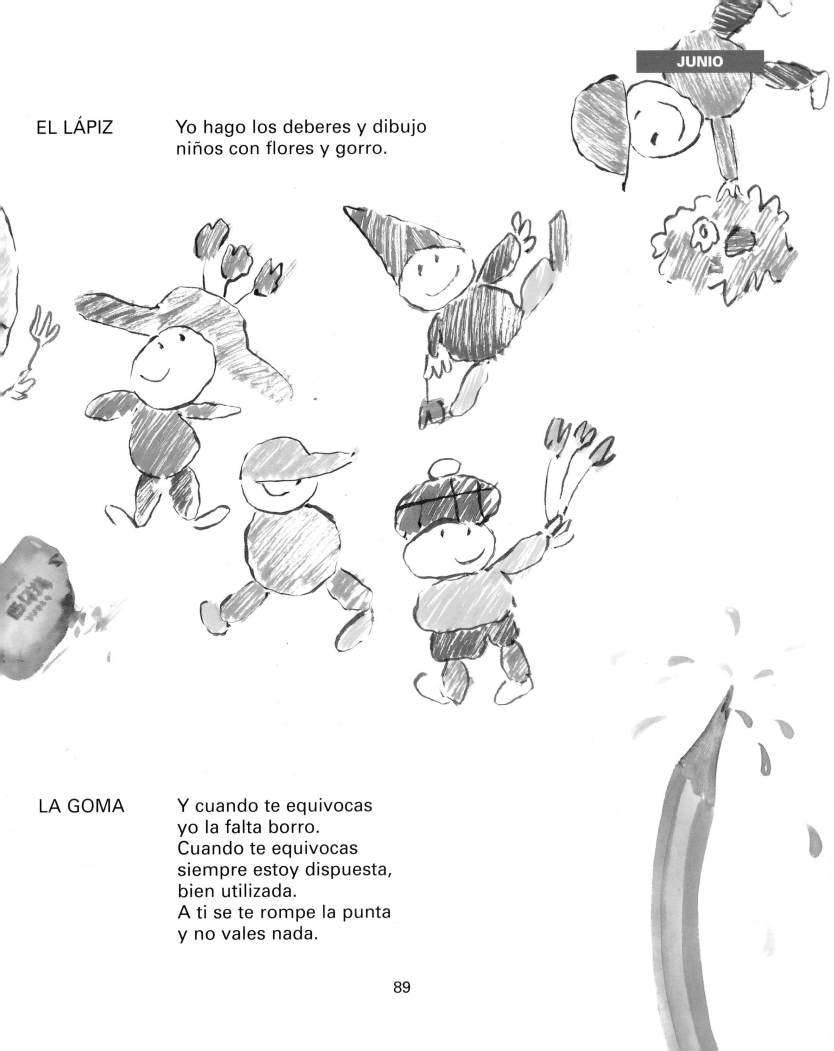

EL LÁPIZ Yo hago los deberes y dibujo
niños con flores y gorro.

LA GOMA Y cuando te equivocas
yo la falta borro.
Cuando te equivocas
siempre estoy dispuesta,
bien utilizada.
A ti se te rompe la punta
y no vales nada.

89

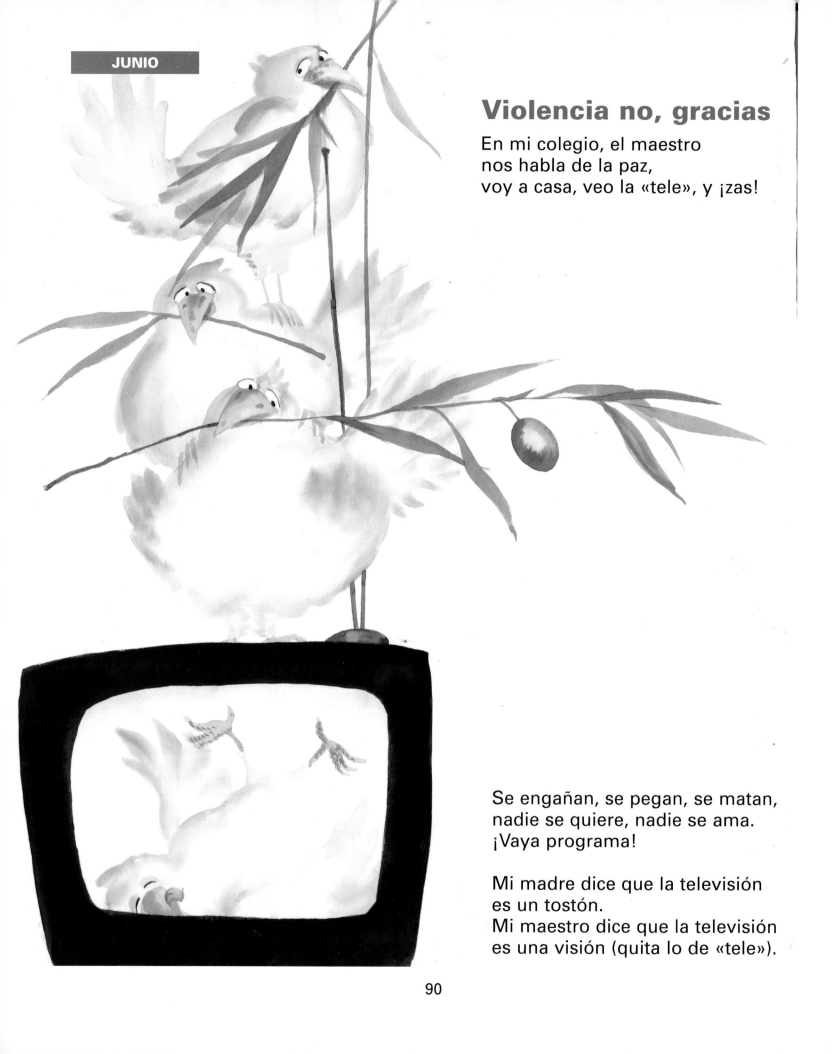

Violencia no, gracias

En mi colegio, el maestro
nos habla de la paz,
voy a casa, veo la «tele», y ¡zas!

Se engañan, se pegan, se matan,
nadie se quiere, nadie se ama.
¡Vaya programa!

Mi madre dice que la televisión
es un tostón.
Mi maestro dice que la televisión
es una visión (quita lo de «tele»).

90

Un pulpo en un garaje

El pulpo estaba vivo pero muerto
de miedo en aquella inmensa
jaula que olía a gasolina y
cada vez respiraba peor.

PUL·8888·PO

El pulpo recorría aquel siniestro
lugar, tropezando con coches,
camiones y sin encontrar un cubo
de agua que llevarse a la boca.

El pulpo como os dije estaba muerto de miedo y más muerto de miedo se quedó el chico del garaje cuando por la mañana a media mañana y a medio despertar se dispuso a lavar los coches y tiró de la manga que asomaba entre las ruedas de un camión.

En ese momento sintió cómo otras siete mangas le palpaban, le abrazaban y le llenaban la cara de tinta.

—¡Un pulpo! ¡Ay mi madre! ¿Qué es esto? ¡Un pulpo en el garaje! ¡Estoy perdido!

—El que está perdido soy yo, perdido y despistado...

—¡Un pulpo en el garaje! —repitió el muchacho mientras intentaba librarse de los ocho tentáculos (perdón, brazos) del pulpo.

Y habló el pulpo: —No temas que no aprieto, es «un mecanismo de defensa» que tenemos los pulpos cuando alguien nos agarra de una pata como tú has hecho.
Y habló el muchacho: —Alucino. ¡Además este pulpo habla!

El pulpo soltó el cuerpo del muchacho y éste salió corriendo y se encerró en la cabina de un autobús.
—Por favor niño —dijo el pulpo—, no me abandones ahora que estoy más despistado que un pulpo en un garaje.

93

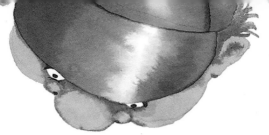

El muchacho del garaje se armó de coraje.
Salió de la cabina, llenó una cuba de agua y dijo al pulpo:
—Métete en la cuba.
El pulpo se metió y se quedó quieto y callado.

¡Baja el cristal y sal!
¡Por favor, llévame al mar!
¡Baja el cristal y escucha!
¡Llévame primero a la ducha!
¡Estoy seco y no puedo respirar!

El muchacho del garaje seguía muerto de miedo, no por el ataque del pulpo, sino porque el pulpo hablaba.
—Me tengo que deshacer de este bicho, pero ¿cómo?

94

El pulpo asomó su extraña cabezota por la cuba y dijo con una vocecilla muy triste.

—Oye, chico, ¿quieres ser mi amigo?

—¿Yo? ¿Para qué?

—Para jugar conmigo en el mar. ¿Sabes nadar?

—Claro que sé.

—Pues llévame al mar y te enseñaré a regatear las olas y nos reiremos de los peces de colores.

El muchacho del garaje ató la cuba donde el pulpo estaba a una carretilla y corrió tras ella calle abajo hasta el mar.

A primeras horas de la noche... el puerto estaba desierto.

Con gran pena el muchacho del garaje dio un empujón a la cuba en el borde del arrecife.

La cuba iba saltando de roca en roca hacia el mar, dentro
de la cuba iba mareado el calamar.
—¡Pulpito! ¡Buen viaje! —dijo el muchacho del garaje.

Desde entonces,
todas las tardes
iba el muchacho
del garaje a las rocas
a visitar a su amigo
el pulpo. Y el pulpo,
como le había prometido,
le enseñó a bucear,
a reírse de los peces
de colores y a sentir
la amistad, no sólo
con los animales
de la tierra,
sino también
con los animales
del mar.

Cuento de un perro
y un pato

Me dijo un lector
que tiene un perro que le protege
y le obedece si le trata de usted.
Le dice: ¡Ataque!
Y le da un ataque.
Y yo le contesté: Pues yo tengo un pato
que más que obediente
es inteligente.
Le digo: Tráeme una camisa del armario.
Y el pato me dice: ¿Cua? ¿Cua? ¿Cuál?
Y yo le digo: Cualquiera, la de rayas.

97

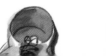

La pulga Federica

La pulga Federica
a picar se dedica,
porque es su obligación,
la gente la critica,
si pica porque pica,
¡qué falta de atención!

La llevan al colegio,
no para de saltar,
distrae a los chiquillos
va de aquí para allá.

Es pulga, es sólo pulga,
y lo suyo es picar.
La maestra le dice:
—Pulga, te portas mal.

Federica dio un salto,
se fue al mapa
y se metió en el mar.

La gallina sin pollitos

La gallina llora en el gallinero,
con un quiquiriquí muy lastimero.

—¿Qué te pasa gallinita?
—dijo su gallo—.
—Que todas mis amigas tienen pollitos
y yo ninguno.

—Si no puedes poner huevos
ya adoptaremos uno.
No estés triste, mi gallina,
vamos a adoptar un huevo
en la granja de la esquina.

99

¡A dormir, que llueve ya!

¡Pollitos y gallinas,
que se vayan a acostar,
que llueve por el monte,
que llueve por el mar!

¡Ya está lloviendo,
y los gatos huyendo,
y las brujas en camisa!
¡Ay qué risa, tía Luisa!

Estrellas y luceros,
que se vayan a dormir,
que llueve por el monte,
que llueve por aquí.

¡Ya está lloviendo,
y las nubes corriendo,
y la luna en camisa!
¡Ay qué risa, tía Luisa!

Los pájaros no tienen dientes

Los pájaros no tienen dientes,
con el pico se apañan.
Los pájaros pescan peces
sin red ni caña.
Los pájaros, como los ángeles,
tienen alas.
Los pájaros son artistas
cuando cantan.
Los pájaros colorean el aire
por la mañana.
Por la noche
son músicos dormidos
en las ramas.
Da pena ver un pájaro
en la jaula.

101

El León y la niña

Un león travieso,
con el rabo tieso,
dijo a la pequeña
que iba a buscar leña:

—Soy un pobre ciego,
ya no veo, veo;
cógeme la pata,
vamos de paseo.
Vente a la montaña,
te daré castañas.

Y dijo la niña:
—No, que me engañas.

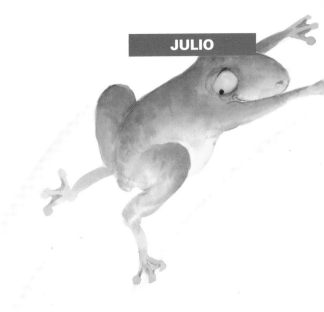

Las ranas no pueden

Las ranas no pueden tomar café,
ni peinarse,
las ranas no tienen pelo.

Las ranas no pueden caminar,
ni volar,
las ranas no tienen alas.

Las ranas no andan,
ni deprisa ni despacio,
las ranas sólo dan saltos.

Las ranas no pueden
vivir en el establo,
ni espantarse las moscas,
las ranas no tienen rabo.

El negrito «Negrito»

Era un negrito que vivía solito.

Era el negrito más negrito de la Selva Negra,
más negra que la boca de una ballena.

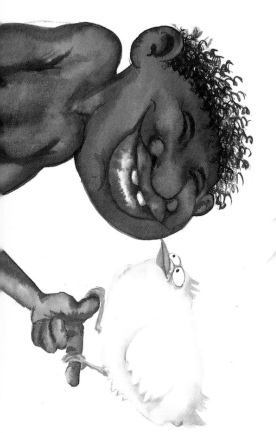

Todas las mañanas iba al bosque el negro
«negrito»
(El negro Negrito era el más negrito de todos
los negritos),
y siempre llevaba debajo del brazo un palomito:
—el palomito del negrito
era el más blanco de todos los palomitos—.
Y palomín palomito
se acabó el cuento del negrito.

El gato de angora

Dice el gato de angora:
ama es una señora,
que me peina a toda hora
y me acaricia la pata.
Como comida de lata.

El gato chino

Y dice el gato chino:
mí me gusta el tocino,
y yo comel también
comida de lata,
pelo de lata de las que colen.

105

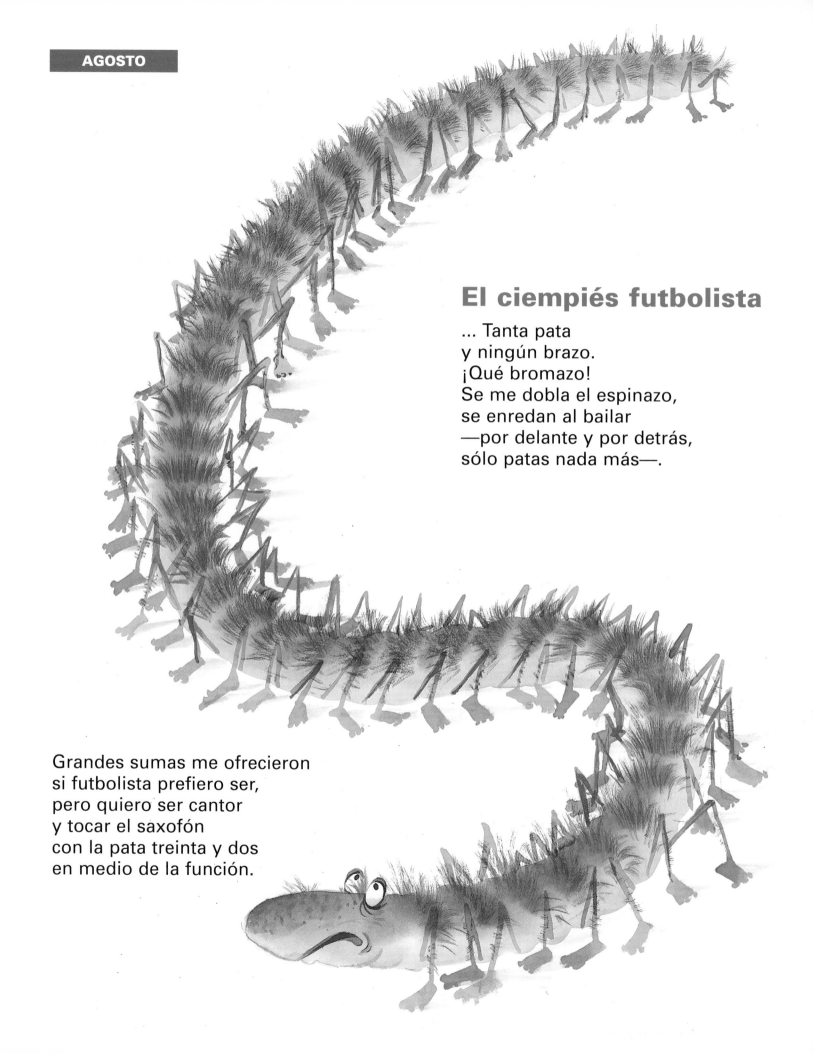

El ciempiés futbolista

... Tanta pata
y ningún brazo.
¡Qué bromazo!
Se me dobla el espinazo,
se enredan al bailar
—por delante y por detrás,
sólo patas nada más—.

Grandes sumas me ofrecieron
si futbolista prefiero ser,
pero quiero ser cantor
y tocar el saxofón
con la pata treinta y dos
en medio de la función.

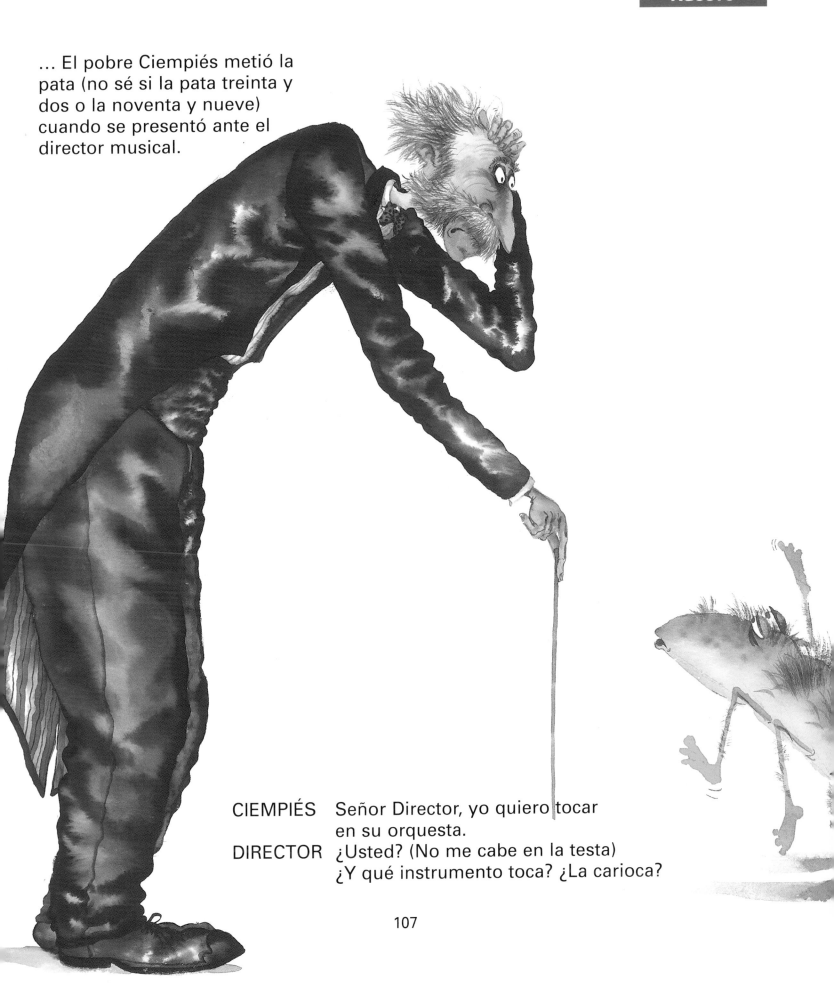

... El pobre Ciempiés metió la pata (no sé si la pata treinta y dos o la noventa y nueve) cuando se presentó ante el director musical.

CIEMPIÉS Señor Director, yo quiero tocar en su orquesta.
DIRECTOR ¿Usted? (No me cabe en la testa) ¿Y qué instrumento toca? ¿La carioca?

107

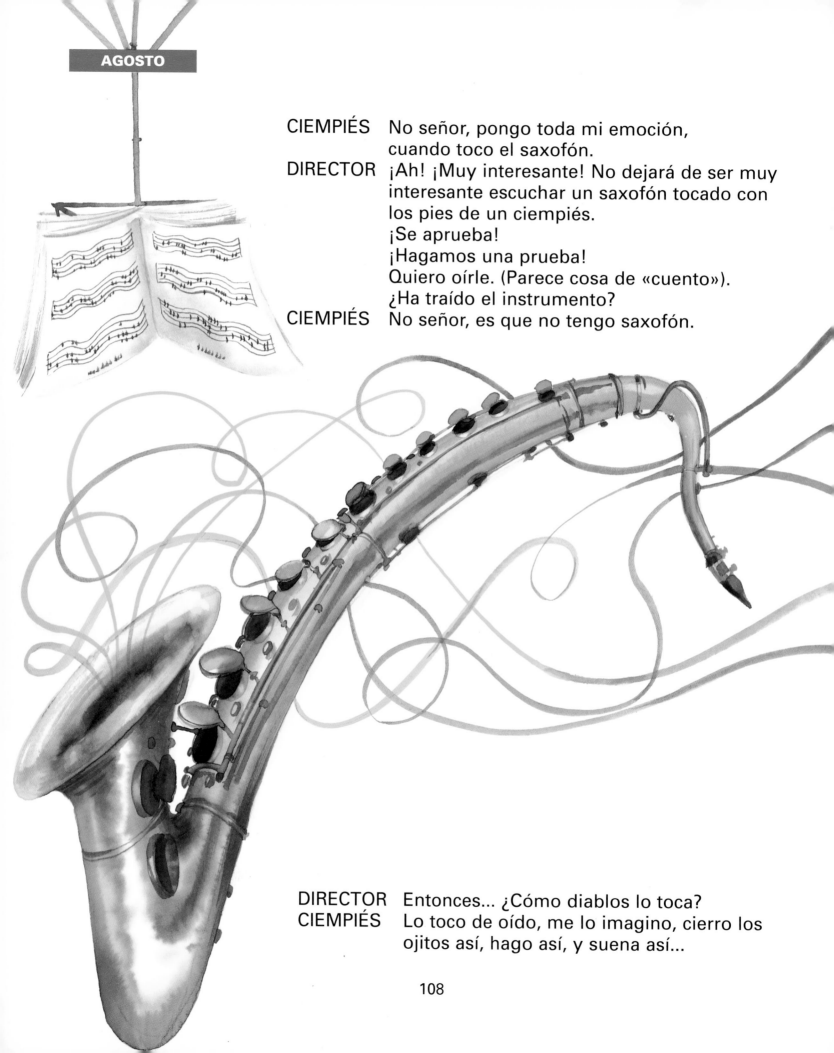

CIEMPIÉS No señor, pongo toda mi emoción,
cuando toco el saxofón.

DIRECTOR ¡Ah! ¡Muy interesante! No dejará de ser muy
interesante escuchar un saxofón tocado con
los pies de un ciempiés.
¡Se aprueba!
¡Hagamos una prueba!
Quiero oírle. (Parece cosa de «cuento»).
¿Ha traído el instrumento?

CIEMPIÉS No señor, es que no tengo saxofón.

DIRECTOR Entonces... ¿Cómo diablos lo toca?

CIEMPIÉS Lo toco de oído, me lo imagino, cierro los
ojitos así, hago así, y suena así...

108

DIRECTOR ¡Eso no puede ser! ¿Cómo va a sonar igual
un instrumento que no existe?
El público no lo resiste, el público es vulgar y
no se lo puede imaginar, el público paga y
dice como Mateo «si no lo veo no lo creo»...
Usted, señor Ciempiés, me está haciendo
perder tiempo y el caso es que sería
interesante y chocante,
un ciempiés en mi orquesta de actuante.

El Director se rascó la cabeza.

DIRECTOR ¿Y otro instrumento? ¿No toca
usted otro instrumento que sea...
de verdad?

CIEMPIÉS (*Ilusionado*) Sí, también toco la
guitarra
de la cigarra
subido a la parra.

109

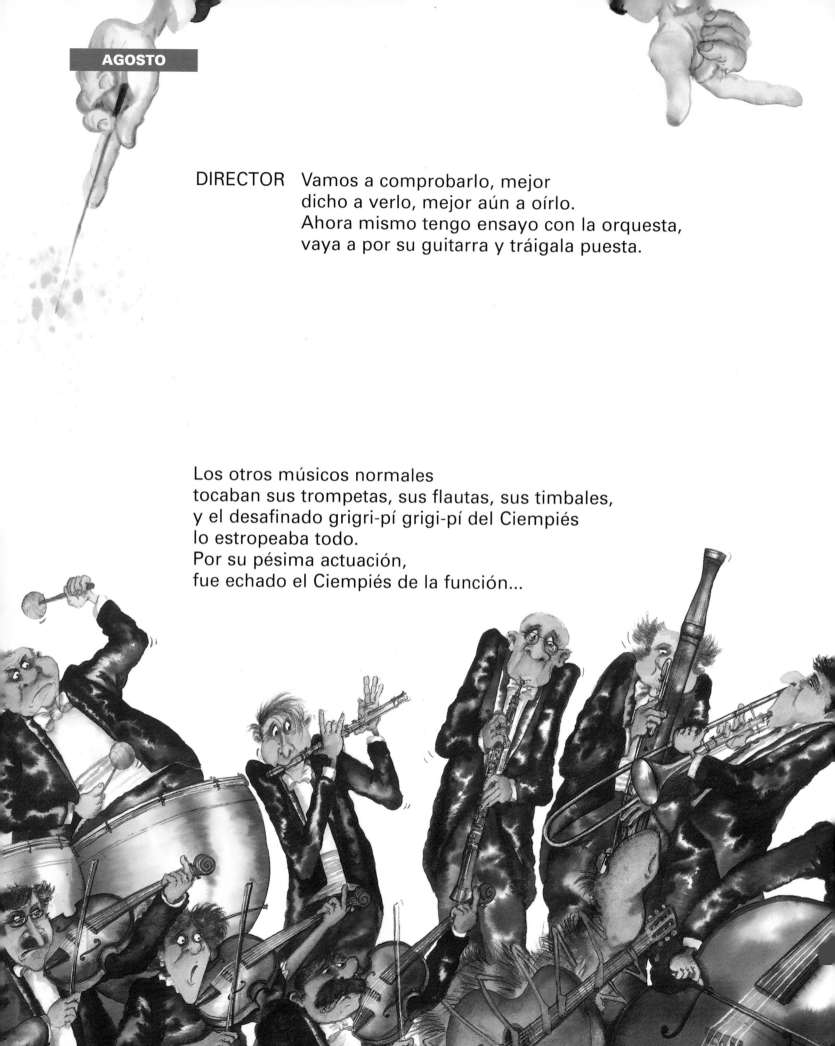

DIRECTOR Vamos a comprobarlo, mejor
dicho a verlo, mejor aún a oírlo.
Ahora mismo tengo ensayo con la orquesta,
vaya a por su guitarra y tráigala puesta.

Los otros músicos normales
tocaban sus trompetas, sus flautas, sus timbales,
y el desafinado grigri-pí grigi-pí del Ciempiés
lo estropeaba todo.
Por su pésima actuación,
fue echado el Ciempiés de la función...

… Cabizbajo y afligido,
tristón y paticaído,
el Ciempiés arrastrando su guitarra caminaba lloroso,
hasta que vio un anuncio luminoso:

¿CUÁL ES TU DEPORTE?
JUEGA
CON NOSOTROS

… Ya dentro del estadio, el Ciempiés
subió las escaleras de tres en tres.
El Ciempiés preguntó por el árbitro. Salió el árbitro.
El árbitro era un señor mayor, calvo y bigotudo que iba
vestido de niño y de luto con sus pantalones cortos y
sus calcetines largos.

111

CIEMPIÉS   Señor árbitro. Soy atleta, estoy muy triste,
no gano ni para alpiste.
¡Quiero jugar!
(mejor dicho) ¡Quiero trabajar!

ÁRBITRO   Pase pase, puede pasar,
puede entrenarse, pero «cobrar»
como no le sacuda otro jugador...

CIEMPIÉS   Es que... he oído con este oído de artista,
que usted necesitaba un futbolista.
El fútbol es cuestión de piernas y de pies,
y servidor tiene cien piernas y ciempiés,
soy un Ciempiés. ¡Piénselo bien!
En lo que a mí respecta, además soy
atleta, juego de todo, en balón-volea,
servidor golea, y en baloncesto, encesto.
Juego de todo...

ÁRBITRO   Le veo con ilusión, le veo con interés,
           pero lo que el «El Club Punta Bota» necesita
           es un suplente.
CIEMPIÉS   ¿Un suplente? ¿Y eso qué es?
ÁRBITRO   Suplir al portero si tiene un accidente.
           ¿Ha sido usted portero?
CIEMPIÉS   (Con alegría) ¿Portero? ¡Toda mi vida!
           Mi abuelo era portero, mi padre era portero,
           mi madre era portera, me he criado como aquel
           que dice en la portería, me querían todos los
           vecinos, quiero decir, toda la afición…

Y sucedió que...

El equipo «Punta Bota»
siempre perdía
siempre en derrota.
Hasta que «fichó» al Ciempiés,
—y todo ocurrió al revés.

Le pusieron de portero,
—le aclamaba el mundo entero—.
Plantado en su portería,
nadie goles le metía.
… Aunque al parar sufre hipo,
siempre ganó su equipo.
¡Qué portero con salero!

¡VIVA CIEMPIÉS EL PORTERO!
¡ARRIBA PUNTA BOTA!
¡RA RA RA!

… Y el simpático Ciempiés,
una medalla de atleta
lucía en su camiseta.

La «tele» y los periodistas
le sacan en sus revistas.
… Su fama atraviesa mares,
se lee en grandes titulares:
Gracias al genial Ciempiés
el equipo «Punta Bota»
ganó la copa
de Europa.

Moraleja final:
Un artista menos
y un futbolista más.

115

El buzo vago

Como soy vago muy vago,
vivo en el fondo del lago,
aquí nunca nada hago
y el pescado nunca pago.
Como soy vago muy vago.

Si tengo hambre peces como,
si tengo sed, agua trago.
Como soy vago muy vago.

Entre las plantas marinas
como un fantasma vago,
por las noches
nunca duermo, vago.

Me quedo de jardinero
aquí en el fondo del mar,
con mirarlo, todo crece
y florece
sin regar.
Como soy vago muy vago...

Lobato Lobatín y Caperucita en el jardín

EL LOBITO   ¿Dónde vas, Caperucita?

CAPERUCITA   A llevar la cena a mi abuelita, un caldito y unas gambitas.

EL LOBITO   ¡Uy, qué ricas!

CAPERUCITA   ¿Y a ti qué te pasa, lobo? Te veo muy escuchimizado, muy delgado, muy desmejorado.

EL LOBITO   Es que estoy malito. Además, yo no soy el lobo, soy el hijo del lobo, me llamo Lobato Lobatín y recorro el bosque en patín. Mi padre el lobo me mandó a buscarte para decirte que él no ha podido venir, porque ha ido a cazar ardillas. Mi padre el lobo es muy tragón, come ratas y ardillas, y cuando se le hinchan las narices, come perdices. Yo no, yo prefiero comer yerbas frescas.

117

CAPERUCITA ¿Eres vegetariano?
EL LOBITO No sé qué es ser eso, pero a lo mejor lo soy. ¿Vejequé...?
CAPERUCITA Vegetariano, es el que no come carne.
EL LOBITO Entonces voy a ser vegetariano de mayor,
porque no me gusta ser cazador.
CAPERUCITA Pues te va a querer mucho la gente, porque vas a ser
un lobo diferente.

EL LOBITO Diferente, eso es lo que no quiere que yo sea mi padre el lobo feroz.
Me regaña y me aúlla, porque no voy a cazar con él. Porque cazar
no es cazar, es matar. Un cazador es un matador. ¿A que sí?
CAPERUCITA Lobatín, no te pases, si es un hombre el cazador sí puede ser un
matador, no caza para comer, caza para pasarlo bien, y en el reino
animal, sólo cazáis cuando tenéis hambre...

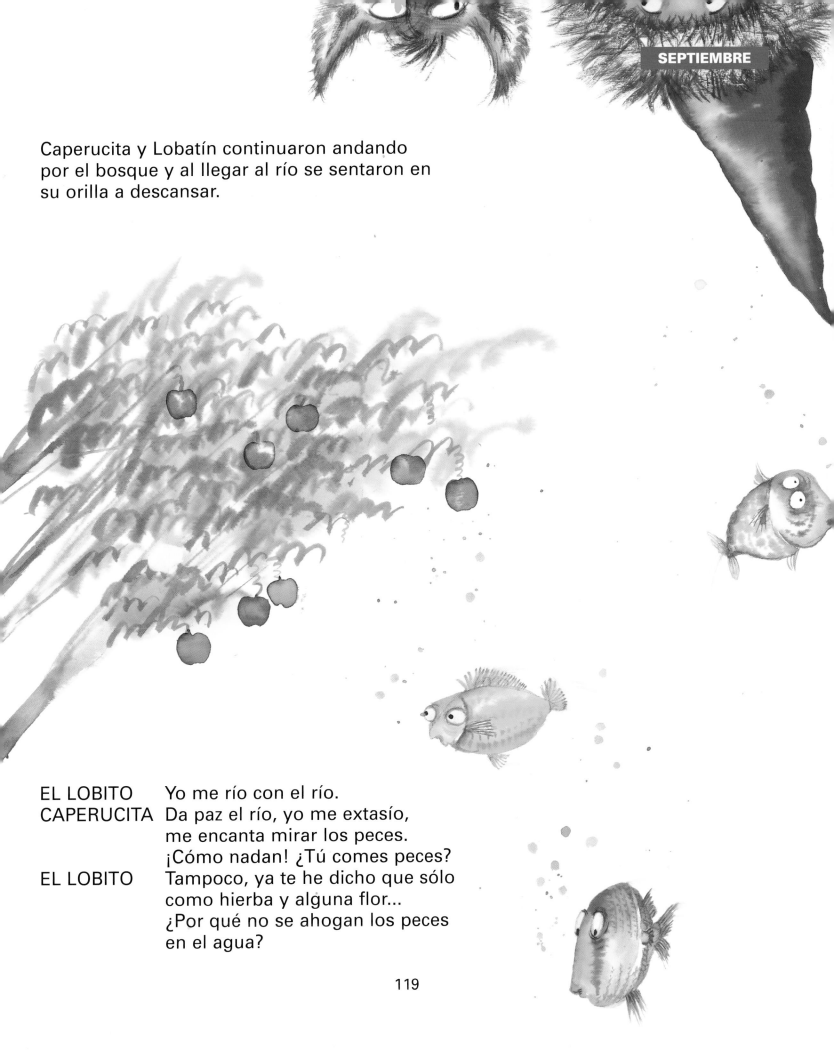

Caperucita y Lobatín continuaron andando
por el bosque y al llegar al río se sentaron en
su orilla a descansar.

EL LOBITO   Yo me río con el río.
CAPERUCITA Da paz el río, yo me extasío,
            me encanta mirar los peces.
            ¡Cómo nadan! ¿Tú comes peces?
EL LOBITO   Tampoco, ya te he dicho que sólo
            como hierba y alguna flor...
            ¿Por qué no se ahogan los peces
            en el agua?

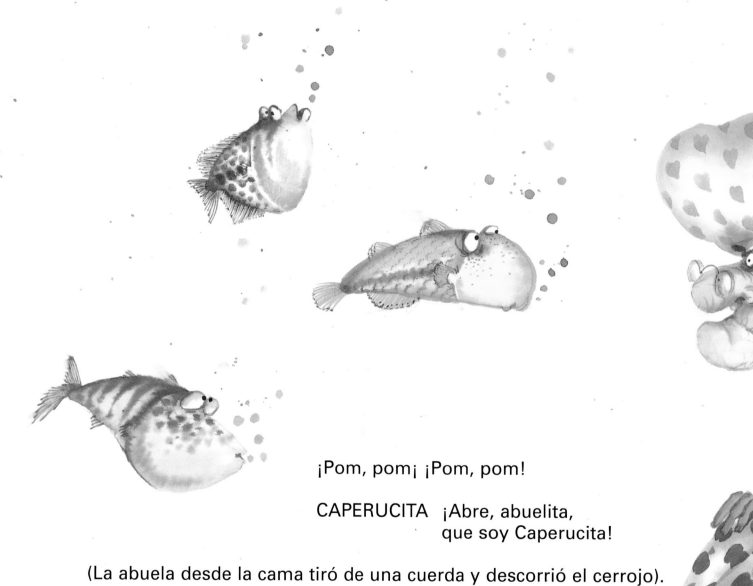

CAPERUCITA	Porque se ahogan fuera del agua.
EL LOBITO	¿Soñarán los peces cuando duermen?
CAPERUCITA	Si los peces no duermen nunca.
EL LOBITO	¡Cuántas cosas sabes, Caperucita!

¡Pom, pom¡ ¡Pom, pom!

CAPERUCITA ¡Abre, abuelita,
que soy Caperucita!

(La abuela desde la cama tiró de una cuerda y descorrió el cerrojo).

ABUELITA ¡Ay, Dios mío! Otra vez
el lobo...

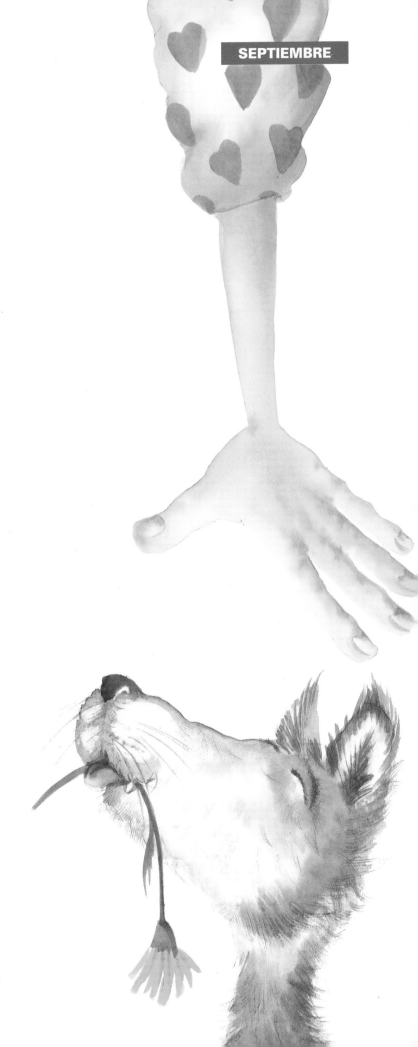

CAPERUCITA No te asustes abuelita,
es Lobatín, el hijito del lobo,
es muy pequeño, aún no le
han salido los colmillos,
es muy simpático y además
es pacifista y vegetariano.

(El lobo lamía la mano de la abuelita).

ABUELITA Pues sí, parece buena
persona, es muy cariñoso.
CAPERUCITA Bébete el caldo y come la
tortilla de gambas.

121

ABUELITA   ¡Caramba! ¡Qué rica está la gamba...! Cierra la ventana que se me están quedando fríos los pies.

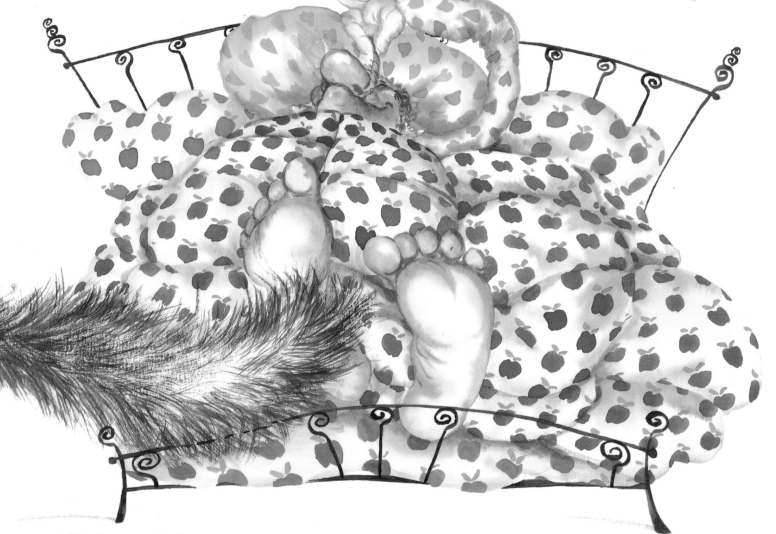

(Al oír esto Lobato Lobatín dio un salto, se subió a la cama y se echó sobre los pies de la abuelita, para darle calor).

EL LOBITO   Caperucita, ¿me dejas quedarme aquí? Me gustaría cuidar de la abuelita y protegerla para que ningún lobo feroz —ni siquiera mi padre— vuelva a comerse a ninguna abuelita.

CAPERUCITA Aunque eres pobre ¡qué rico eres,
Lobatín! Quédate con la abuelita,
quédate aquí a vivir. Eres como
un cordero con piel de lobo, que
ningún cazador te alcance nunca,
amigo mío.
(Y se dieron un beso).

123

El extraterrestre

Yo iba con mi coche viejo
al barrio nuevo
de la serranía.

El extraterrestre
me enchufó una luz
y me dejó dormida.

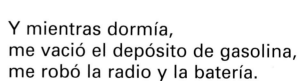

Y mientras dormía,
me vació el depósito de gasolina,
me robó la radio y la batería.

El extraterrestre
no vino del cielo
ni del infierno,
era un ladrón moderno.

La niña brujita

El señor brujo
tenía una hija
alta y bruja como su madre,
la niña brujita
tenía poderes
como su padre.

Comía mosquitos,
murciélagos fritos y orugas.
Tenía la nariz larga
y en ella tres verrugas.

La niña brujita
era simpática pero fea.
Despeinada la melena,
daba pena.

(Se le estropeó la mente
por leer cuentos de oriente).

—Papá, cómprame una alfombra.
¡Quiero volar!
—Papá, cómprame una alfombra.
¡Quiero viajar!
—Brujilinda, tú estás loca,
péinate y cierra la boca.
Para ti, nada de alfombra,
tú, como tu madre,
volarás en una escoba.
¡Y no seas boba!

125

Chupilandia
(cuento de dulce)

El aire del pueblo olía a bizcocho.

Las casitas de turrón,
las tejas de chocolate,
ventanas de mazapán
y las puertas de guirlache.

De azúcar las escaleras
y de tarta los balcones,
el suelo de caramelo
y de chicle los salones.

Los muebles son de galleta
y el techo de polvorones.

Las camas blandas de flan,
la almohada de mantequilla,
los libros de hoja de hojaldre,
la piscina de natillas.

Pueblo de dulce.
¡Qué empacho!
(Las farmacias en la esquina).

El fantasma Pepillo

El fantasma se llama Pepillo
(no tenía nombre de fantasma
pero lo era).
El fantasma Pepillo
no tenía sábana,
no tenía castillo.
Vivía en una casa vieja,
tan vieja,
que no tenía una teja.

Pepillo el fantasma
no tenía sábana,
se embadurnaba de harina
y dormía en la cocina.

Cuando llovía
se mojaba,
cuando había tormenta
se alegraba.
Como no tenía sábana,
cuando se iba a aparecer
tocaba una campana.

Cansado de no asustar
el fantasma Pepillo
se compró un traje de pana,
se puso flequillo,
y se fue al parque
a jugar con los chiquillos.

El monstruito

Era entre dragón y serpiente.
Era imponente, aunque aún no tenía ni un diente.
—¿Cómo quieres que sea, jolines, si es mi madre la monstrua del lago Ness
y mi padre un antidiluviano pez?
—¡Ayúdame!
Me he salido del lago... ¿Y ahora qué hago?

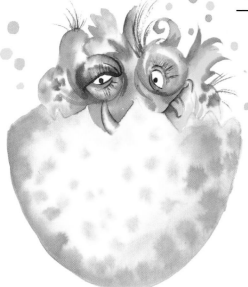

Era un monstruo bebé
de quince minutos de edad,
acababa de salir del huevo y del lago
y se echó en la arena.

—¡Qué raro eres, cosita viva!
(le dijo tragando susto y saliva).

—Yo no entiendo de monstruos, cosita,
espera que se haga de noche,
y cuando la Luna brille... ¡ya brilla!
vuelve a la orilla. Sumérgete de un chapuzón.
Te juro que no diré nada a la televisión.

128

El ángel ventilador

La niña tiene calor.
Qué calor tiene la niña,
sola y pobre en su guardilla,
su frente de sudor brilla.
Lee un cuento de esquimales,
—pero ni eso le vale—.
Es agosto,
¡qué calorina en su rostro!

Y su ángel de la guarda
—invisible en su esplendor—,
se puso a revolotear
—bate alas alrededor—,
que aire fresco da a la niña,
y ya no tiene calor,
la niña de la guardilla
por su ángel ventilador.

Y el misterio sucedió
en una guardilla pobre
donde vivía yo.

Coleta actriz

Coleta, con sus amigos,
merendaba pan con higos.

Después todos, muy contentos,
van a jugar a los cuentos.

Coleta, encucuruchada,
se ha disfrazado de Hada.

—Traed mantas y albornoces,
escuchadme y no dar voces.

Todo el que quiera jugar,
se tiene que disfrazar.

—Yo de Hada; tú, Rufina, de Princesa
y en el castillo estás presa.

Tito, cabeza de bola,
te va llevando la cola.

En medio de la función,
José Luis te libra del Dragón.

(Enriquito y Asunción hacían de Dragón).
—¡Atención! A José le soplo con un soplillo
y le convierto en principillo.
—José con la princesa se casa,
hija de la reina Blasa.

El Dragón era inocente,
y no tenía ni un diente.

—¡Venga! ¡Hurra! ¡Hurra!
Que cada uno diga lo que se le ocurra.

Y el nuevo juego de moda,
gracioso, termina en boda.

Con un poco de talento,
podéis jugar a los cuentos.

131

El Hada Acaramelada

El Hada Acaramelada,
de pequeña atolondrada
pues soñaba con ser Hada
de cucurucho y varita.

Su madre doña Rosita,
dándole beso tras beso,
le dijo: ¡Nada de Hada,
que ya no se lleva eso!

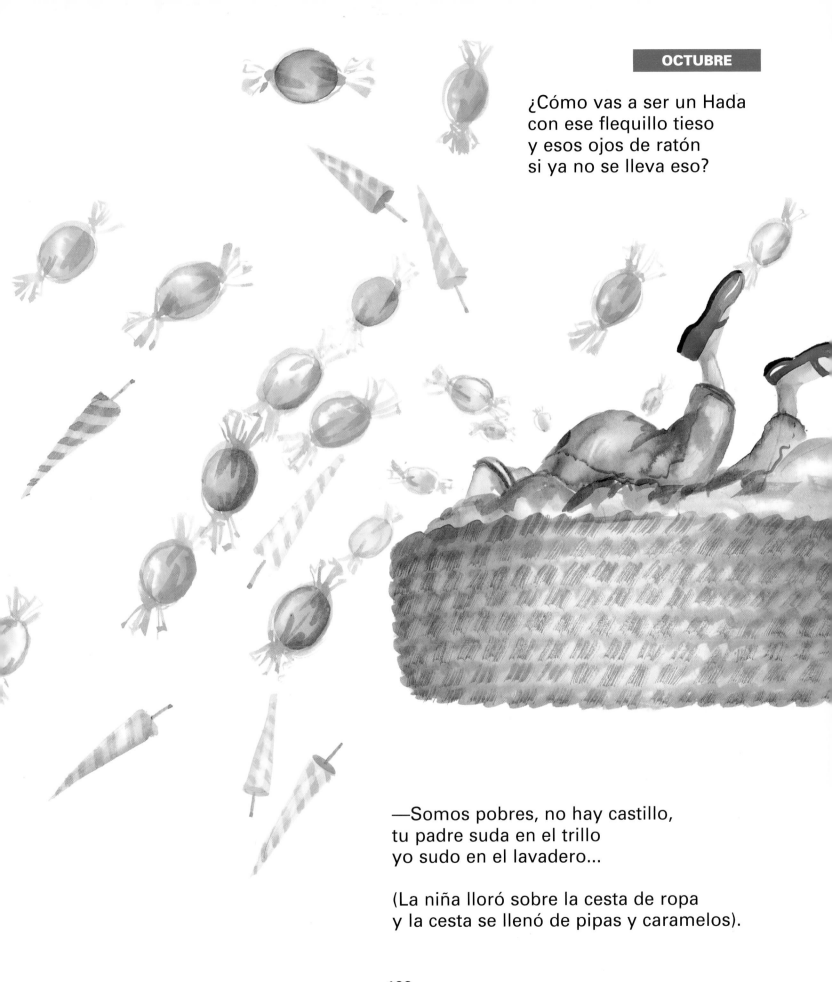

¿Cómo vas a ser un Hada
con ese flequillo tieso
y esos ojos de ratón
si ya no se lleva eso?

—Somos pobres, no hay castillo,
tu padre suda en el trillo
yo sudo en el lavadero...

(La niña lloró sobre la cesta de ropa
y la cesta se llenó de pipas y caramelos).

133

Con un periódico se hizo
un cucurucho muy tieso,
de esta forma se sentó
a la puerta del colegio.

Con su cesta milagrosa,
con su varita de fresnos
para espantar a las moscas
del puesto de caramelos.

«¡Todo gratis, todo gratis!»
se leía en un letrero.

Un día que era muy frío
me parece que era enero,
el Hada se quedó helada
y vinieron los bomberos.

En marzo se deshéló;
con cucurucho y varita
volvió al puesto.

«Todo gratis» regalaba
yoyoes y caramelo...
El Hada cuanto más daba
más se le llenaba el cesto.
El Hada Acaramelada
la llamaban y la llaman
todos los chicos del pueblo.

Chirivito

Chirivito «el Bajito»
era el más alto
de todos los enanitos.

Su cabeza era un garbanzo
y sus piernas dos palillos,
las orejas grandes, grandes
(como soplillos).

A Chirivito «el Bajito»
un día le picó un mosquito,
se puso malo, le dio fiebre
y montado en una liebre
le llevaron al doctor.

136

El médico era una lenteja
y le dijo: —¿Por qué se queja
si sólo se le ha hinchado una oreja?
Haber matado al mosquito.
Y respondió Chirivito:
—Yo no mato a una mosquita
y menos mato a un mosquito.

Yo soy un enano,
sano,
en mi país de enanitos
no hay venganzas ni rencores
con los que hacen delitos,
y hay paz doctora Lenteja,
métaselo en la cabeza
y un poco en el corazón.
(Chirivito era un angelito).

137

La sirenita que quiso ir al «cole»

La sirenita, saltando por la arena,
llegó a la escuela de la playa.

Niños, libros, mapas y pizarras.

La sirenita apoyó su cara en el cristal,
la maestra la invitó a pasar.

La sirenita asustada voló hacia el mar, sola,
y se escondió en la ola.

Con algas y con algo,
se hizo un vestido largo, largo
—para que le tapara la cola
y los pies que no tenía—.

Saltando por la arena,
tocando dos conchas castañuelas,
la sirenita entró en la escuela.

—La «nueva» anda muy rara
—dijeron sus compañeras—.

—¡Cómo no voy a andar rara
si soy una sirena!

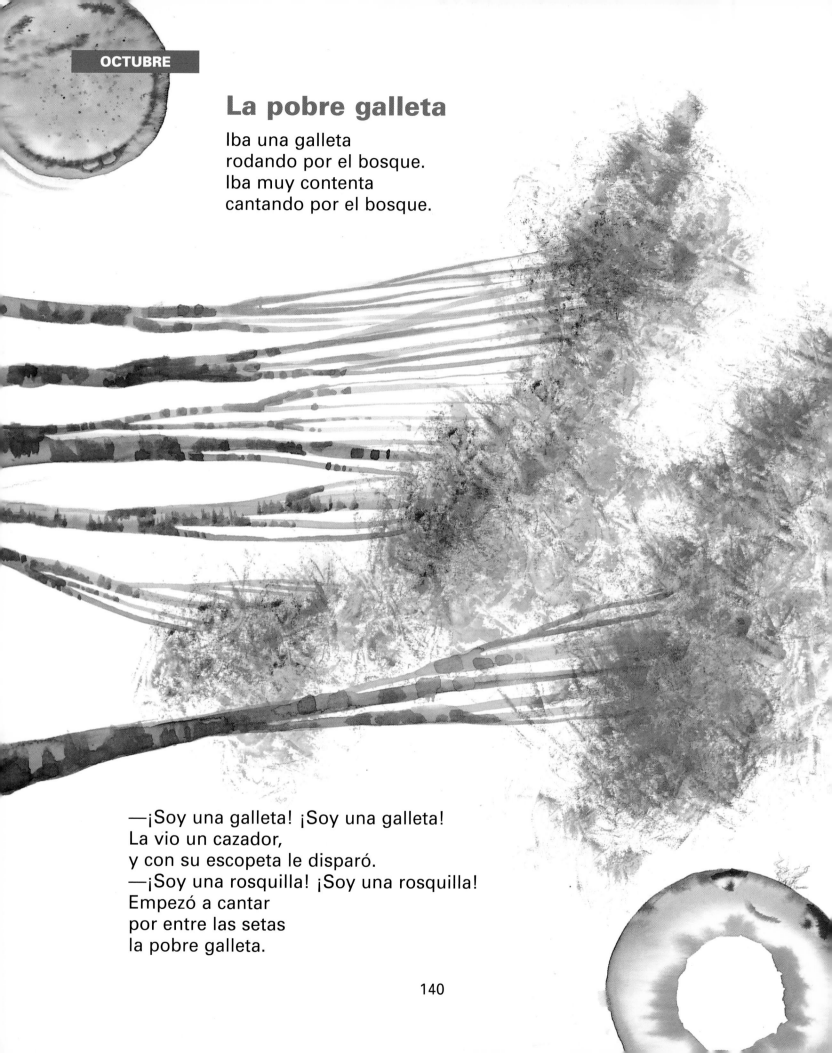

La pobre galleta

Iba una galleta
rodando por el bosque.
Iba muy contenta
cantando por el bosque.

—¡Soy una galleta! ¡Soy una galleta!
La vio un cazador,
y con su escopeta le disparó.
—¡Soy una rosquilla! ¡Soy una rosquilla!
Empezó a cantar
por entre las setas
la pobre galleta.

Timotea

Timotea
era buena y fea.
Timotea
duerme en la azotea.

La mamá de Timotea
le dice que lea.
Timotea,
la fea,
se pone a leer
—lee que te lee—
y se le cambia la cara,
la crecen los ojos,
se convierte en guapa.

Y a Timotea,
la fea,
¡la nombran Miss Europa!

El rey de los helados

El rey se sentaba en su trono de cartón.
La bandera del rey era tricolor,
roja, amarilla y verde.
¡Fresa, limón y menta!
—gritaba el rey de los helados—,
tocaba una campanilla,
de vainilla y cantaba su pregón.

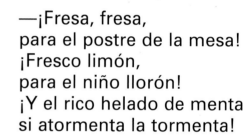

—¡Fresa, fresa,
para el postre de la mesa!
¡Fresco limón,
para el niño llorón!
¡Y el rico helado de menta
si atormenta la tormenta!

El rey de los helados
vivía en el país de los niños.
A la puerta de la escuela,
tenía su clientela.

El mismo rey despachaba los helados,
no los vendía,
que los daba regalados.

En las grandes colas, los niños
saltaban y cantaban al rey,
nunca se estaban quietos,
también había viejecitos
con las manos llenas de nietos.

Y cuentan que todos eran felices
con el rey del helado,
y el rey nunca fue destronado.

143

Mi abuela
es un hada

Mi abuela Mariana
tiene una cana,
cana canariera.

Mi abuela Mariana
me cuenta los cuentos
siempre a su manera.

Yo la quiero mucho,
yo la quiero tanto...
Me ducha, me peina
y me lleva al campo.

Me enseña canciones,
me ayuda a estudiar,
dice poesías,
solemos jugar.

Luego por la noche,
mi abuela me vela,
un cuento me cuenta
y cuando me duermo,
apaga la vela.
Mariana mi abuela.

Mi abuela Mariana,
de paja el sombrero,
el traje de pana,
mi abuela Mariana,
no parece abuela
que parece un hada.

Don Libro está helado

Estaba el señor don Libro
sentadito en su sillón,
con un ojo pasaba la hoja
con el otro ve televisión.

Estaba el señor don Libro
aburrido en su sillón,
esperando a que viniera... (a leerlo)
algún pequeño lector.
Don Libro era un tío sabio,
que sabía de luna y de sol,
que sabía de tierras y mares,
de historias y aves,
de peces de todo color.

Estaba el señor don Libro,
tiritando de frío en su sillón,
vino un niño, lo cogió en sus manos
y el libro entró en calor.

El fantasma asustado

El fantasma nació en un espejo
y se metió en un baúl
—se asustó—
se creía que estaba en una tumba,
y se metió en el armario de la luna,
en el armario se asfixiaba,
y se metió entre las sábanas de la cama,
—del ama.

El ama Piturra dio un alarido,
y el fantasma asustado
se fue por donde había venido.

Doña Loba
detrás de la escoba

Estaba doña Loba
barriendo con su escoba
la puerta de su guarida,
y llegó la vecina herida
—por culpa de un cazador—,
en la pata con un balazo
doña Loba la curó.

Salieron cinco lobitos,
los hijos de doña Loba,
que dormían calentitos
detrás de la escoba.

Un lobito la venda,
otro trae el algodón,
otro agua oxigenada,
otro frasquito de alcohol,
y el más pequeño no traía nada,
lloraba, lloraba, lloraba.

Ya vendada sin la bala,
doña Loba le dio friegas
en la pata, y soba que soba,
la loba curó a la loba.

NOTA: Los lobos se quieren
como hermanos,
y no hacen guerras
como los humanos.

La niña exploradora

Cuando yo era una exploradora
con sombrilla y cantimplora,
en el desierto desierto
me perdí.

Me quedé sin provisiones
y ya veía visiones,
mejor dicho no veía,
pues la arena que el viento levantaba
me cegaba.
¡Madre mía!

... Andando andando,
me encontré un oasis con tres
palmeras y un letrero que decía:
Restaurante de Primera.
Un oriundo ciudadano
me leyó el menú africano.
Especialidades de la casa:
Mermelada de hormigas.
Saltamontes salteados.
Gusanos fritos.
Grillos escabechados.
Tortilla de arañas.
Chicharros a la brasa.
Ensalada de mariposas.
Helado de orugas.

—En vista de lo visto pido pisto.
Y me trajeron
un clavel
y un bocadillo
de anchoas.
Como no tenía
dinero,
les dejé
la cantimplora.

Después del bocadillo de anchoas,
se pasó una semana sin comer una servidora.
Aparqué mi camello que se moría de sed
y continué andando desierto a través...

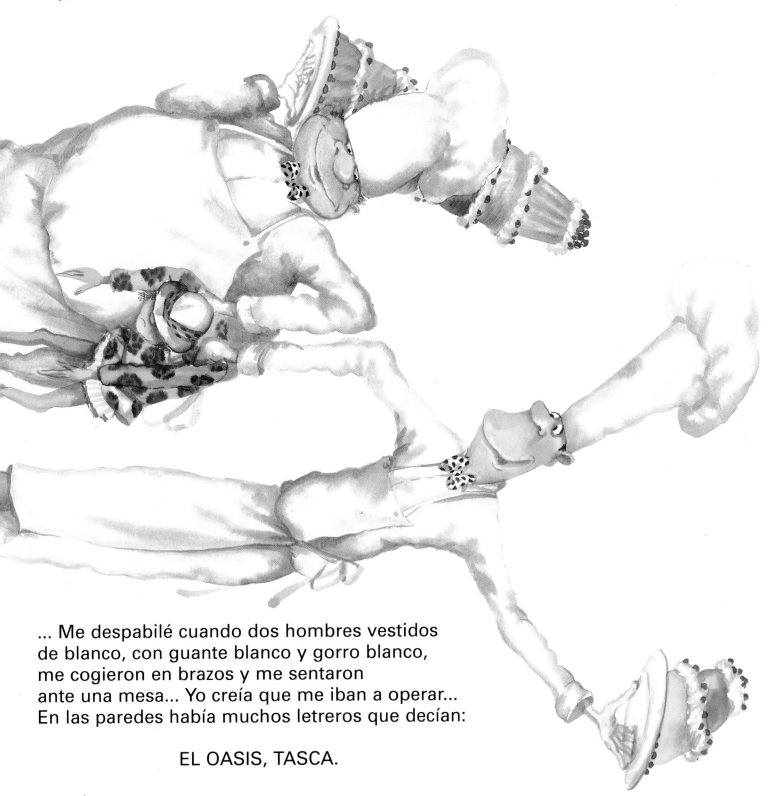

... Me despabilé cuando dos hombres vestidos
de blanco, con guante blanco y gorro blanco,
me cogieron en brazos y me sentaron
ante una mesa... Yo creía que me iban a operar...
En las paredes había muchos letreros que decían:

EL OASIS, TASCA.

151

Delirio delirio.
¡No puede ser verdad tanta ventura en esta aventura!
—Señorita, la carta.
—¡Anda! ¡Tengo carta! ¡Qué raro! ¿Cómo sabrá la gente que estoy aquí?
—La carta es el menú. Pero lea, lea. ¡Menudo menú! Pida lo que quiera, ilustre
invitada. De nada.

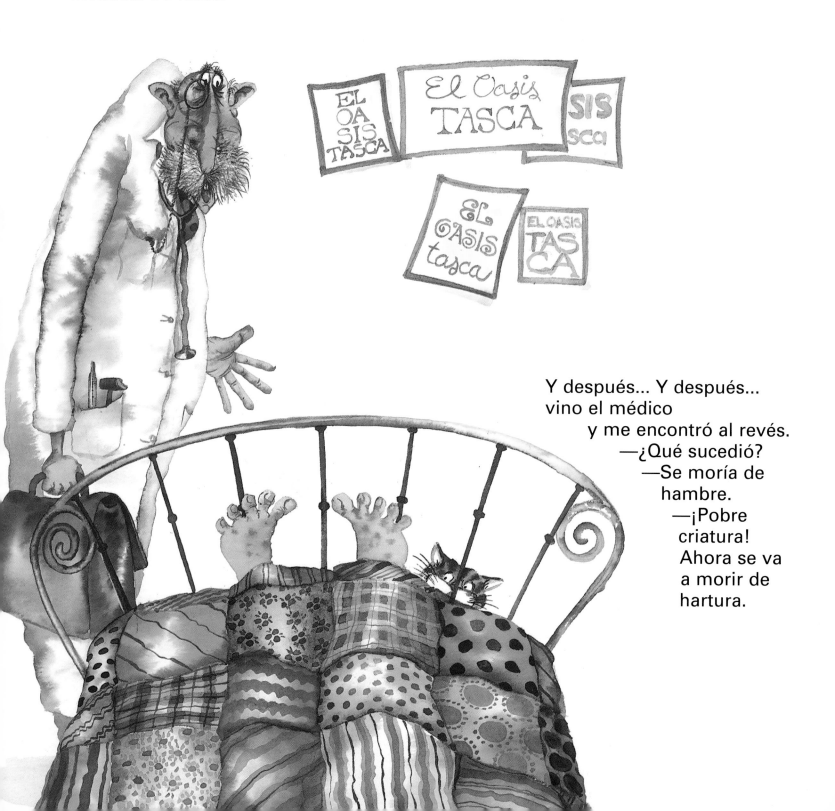

Y después... Y después...
vino el médico
y me encontró al revés.
—¿Qué sucedió?
—Se moría de
hambre.
—¡Pobre
criatura!
Ahora se va
a morir de
hartura.

No. Esta vez no era eso de mermelada de hormigas, tortilla de araña...
Esta vez ya estaba cerca de España.
No recuerdo lo que pedí,
pero jamás olvidaré tanto como comí:

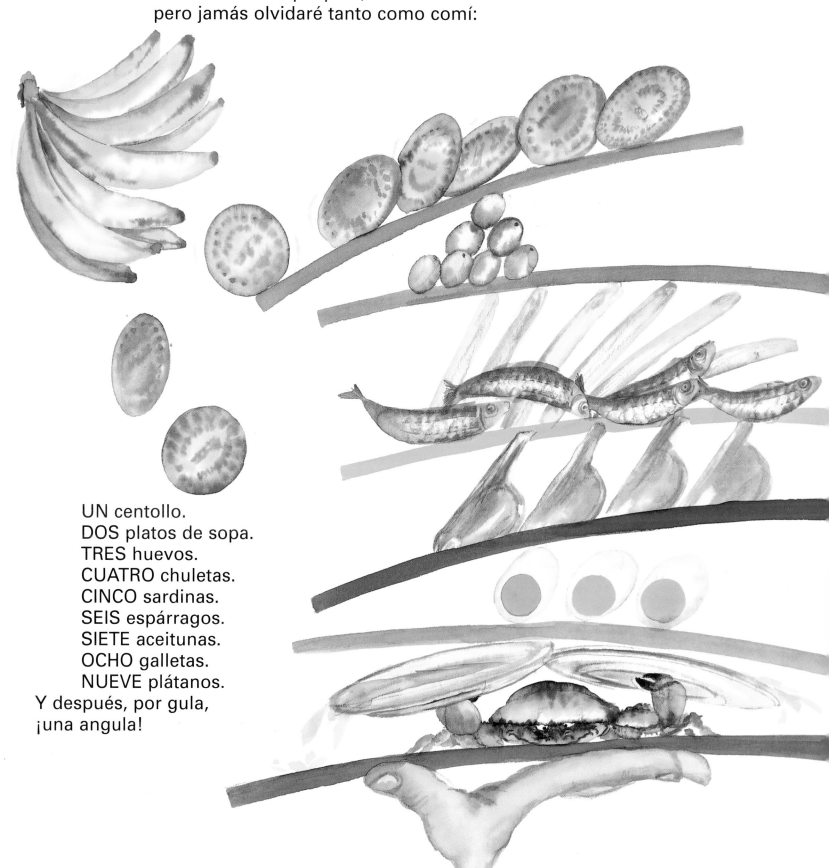

UN centollo.
DOS platos de sopa.
TRES huevos.
CUATRO chuletas.
CINCO sardinas.
SEIS espárragos.
SIETE aceitunas.
OCHO galletas.
NUEVE plátanos.
Y después, por gula,
¡una angula!

La niña exploradora se llama Dora.
Dora, la niña exploradora, en un pueblo
marítimo del sur de España se embarcó
en un barco de pescadores.
Dijo a los pescadores que les daba
cinco mil pesetas si la llevaban hasta
un lugar de África porque allí la
esperaba su tía misionera.

Dora embarcó
en el barco.
Los pescadores no eran
pescadores, eran piratas.
Nada de pescar.
Transportaban hierbas.
Como Dora no sabía estar
sin hacer nada, les pelaba
las patatas, les lavaba la
ropa.

Un día, una fuerza misteriosa empujó bajo las aguas el barco hacia arriba.
El barco empezó a tambalearse como un columpio.
¡Era el gran pez! Era una ballena. Vacía iba, sólo algunos percebes incrustados en su lomo.

El gran pez la tomó con el barco e intentaba volcarlo.
—¡Dame el fusil acuático! —gritó el patrón.
—¡Dame los dardos gordos!
—volvió a gritar el patrón.
El patrón disparó y el agua azul del mar se convirtió en roja.

155

El patrón sacó su pañuelo de cuadros y se puso a llorar.
—Yo creía que los piratas no lloraban.
—Pues ya lo ves, Pitusa. Yo lloro —dijo gimoteando el patrón—, aunque en este caso ha sido en defensa propia, no me gusta matar una sardina y menos una ballena.

Llegaron al puerto de Togo y allí tomó tierra Dora la exploradora. En el mismo puerto, dudó si alquilar un camello o un coche todo terreno para atravesar el desierto por segunda vez.

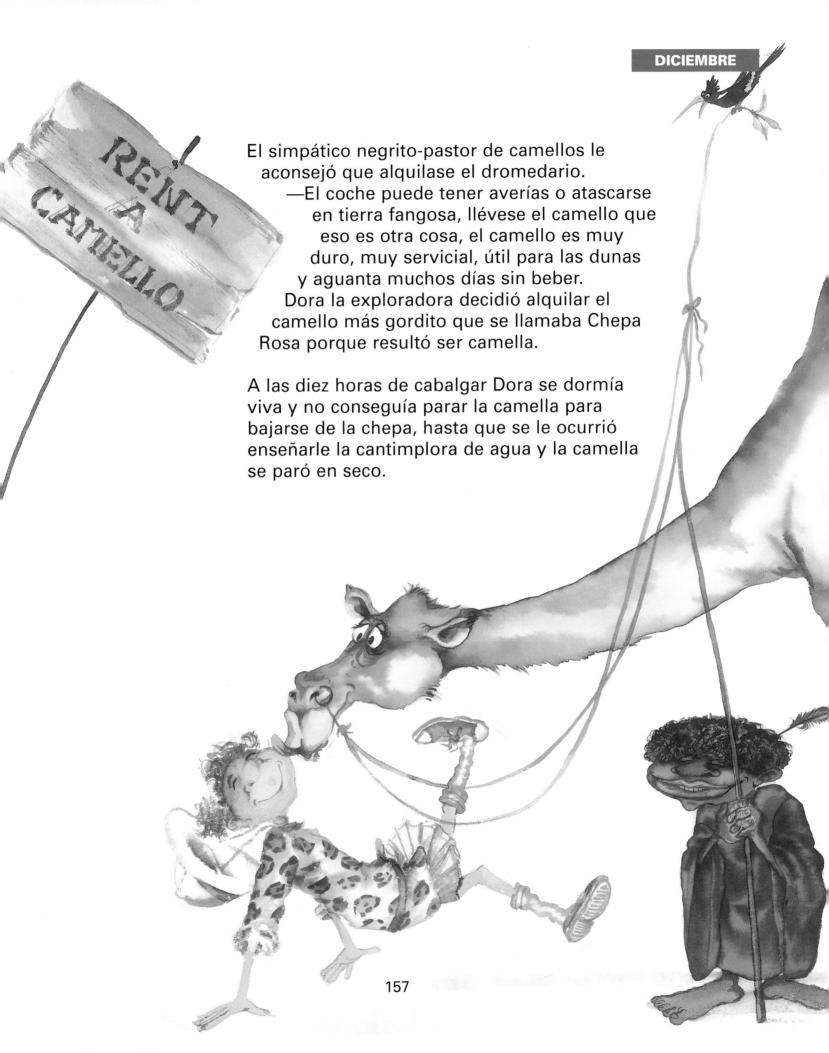

El simpático negrito-pastor de camellos le aconsejó que alquilase el dromedario.

—El coche puede tener averías o atascarse en tierra fangosa, llévese el camello que eso es otra cosa, el camello es muy duro, muy servicial, útil para las dunas y aguanta muchos días sin beber.

Dora la exploradora decidió alquilar el camello más gordito que se llamaba Chepa Rosa porque resultó ser camella.

A las diez horas de cabalgar Dora se dormía viva y no conseguía parar la camella para bajarse de la chepa, hasta que se le ocurrió enseñarle la cantimplora de agua y la camella se paró en seco.

157

Pero la camella no se echaba ni a la de tres y Dora no se podía dormir a esa altura y sin respaldo.

Decidió dejarse escurrir chepa abajo, dar un saltito y así llegó hasta la arena. Extendió una manta y se echó a dormir a los pies de la camella.

A los pocos minutos unos ruidos atronaron el desierto. Eran entre rebuznos de burro y ladridos de perro sin parar.

Y los bramidos salían de la bocaza de la camella.

—¡Madre del amor hermoso, qué viaje tan horroroso! —exclamó Dora la exploradora—. ¡Jolín! ¿Qué le pasará ahora a la camella?

Dora le dio más agua, expuesta a quedarse ella sin ella. Poniéndose de puntillas la acarició el hocico y nada, la camella seguía berreando.

El silencio del desierto es el más silencio de todos los silencios, que ahora estaba roto por los gruñidos de la camella.

Tanto duraba el gemido, que del oasis cercano llegaron veloces una pareja de monos haciendo monadas.

—¡Hola, chica! Me llamo Mona Lisa —dijo la mona.

159

—Y yo me llamo Mono Chito
—dijo el mono—. ¿Podemos
ayudarte en algo?
—No sé en qué, titis,
únicamente quiero callar a
esta camella loca.
—Hay que procurar que se
eche, así descansará, estará
enferma.

Ni loca ni enferma, la camella
iba a tener un camellito.
A la luz de la luna —que
gracias a Dios era luna llena—
tuvo a su camellito la camella.
El nuevo animalito color de
arenas era lo más bello y
maravilloso que había visto
Dora sobre la tierra.

La camella Chepa Rosa nada más soltar a su cría se puso de pie y empezó a besar y a lamer a su camellito. Y enseguida éste, ágil y alegre, empezó a caminar.

—¡So! ¡Sooo! —gritaba Dora que aún no se había subido a sus lomos. Una hora le costó subirse en marcha.

—¡Madre del amor hermoso, qué viaje tan horroroso!

El nuevo camello seguía a su madre tropezando y trastabilleando sus patas largas y delgadas.

La pareja de monos seguía a Dora montada en su trono.

La camella Chepa Rosa se paraba cuando le daba la gana para que la camellita mamara.

¡Y así durante tres días!

Y a los tres días a Dora, la exploradora, se le acabaron las frutas y los bocatas y tuvo que empezar a ordeñar a la camella para no morir de hambre.

Con un cubito de plástico y arrodillada como dando gracias, ordeñó a la bella camella.

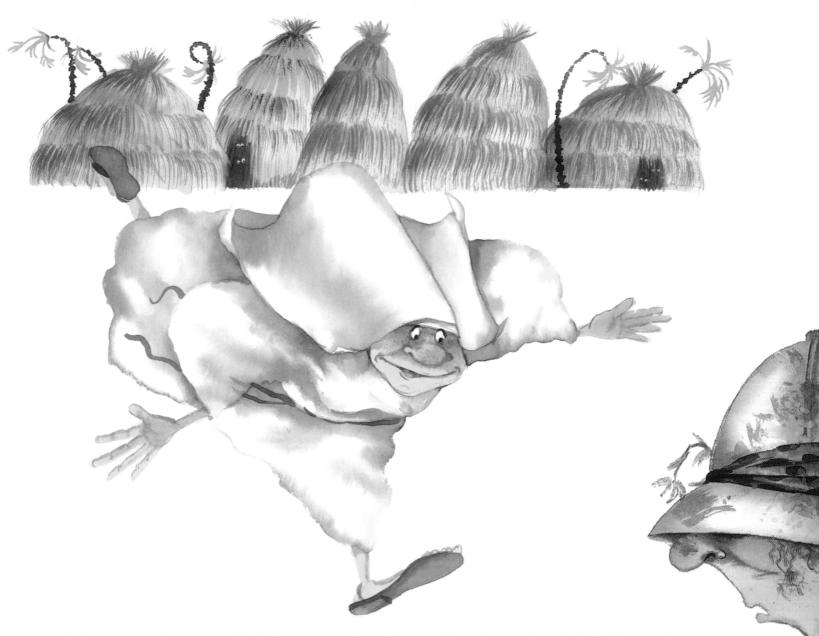

A los tres días ¡por fin! llegaron al poblado donde estaba la Misión en la que trabajaba su tía misionera.

—¡Dios mío! ¡Dora Dorita! ¡Mi sobrina! ¡No lo puedo creer!

La tía monja se arrodilló dando gracias.

—¡No puede ser! ¡No puede ser!
—Sí puede ser, tía tiíta, levántate tía, la que se tiene que arrodillar es la camella, si no no me puedo bajar de esta altura hasta que la dromedaria no se eche.

La tía misionera acariciaba a Dora. La camella acariciaba a su camellito. Dora acariciaba a su tita. Los monos se acariciaban entre ellos. Era una escena digna de ver. Una estampa llena de poesía.

163

El belén de Cucurucho

Aquella noche hizo tanto frío que los pájaros, en sus ramas, se despertaron muchas veces. Y llegó la mañana vestida de blanco, porque la nieve que bajó del cielo todo lo dejó limpio de polvo y latas y basura.

Carlita acababa de colocar el Nacimiento; ya tenía sus ríos de cristal que olían a chocolate, porque estaban hechos con la plata de envolver bombones. Al pastor viejo, que llevaba una ovejita al hombro, se le rompió una pierna; pero lo demás estaba perfecto: la luz del interior del castillo de Herodes el Malo funcionaba bien, igual que el molino, que movía sus aspas sin parar.

—¡Ah! Falta una cosa; hoy hace mucho frío.

Y Carlita se puso a «nevar», nevaba el belén con harina que cogió de la cocina.

—¡Cucurucho, ven! ¡Mira a ver qué te parece!

Y Cucurucho, su hermanito, de unos cuatro años, entrando veloz, habló:

—¡Huy, qué bonito! ¡Huy, qué bien hecho! ¡Huy, qué bien hace!

Y dirigió su mano hacia el camello de un Rey Mago.

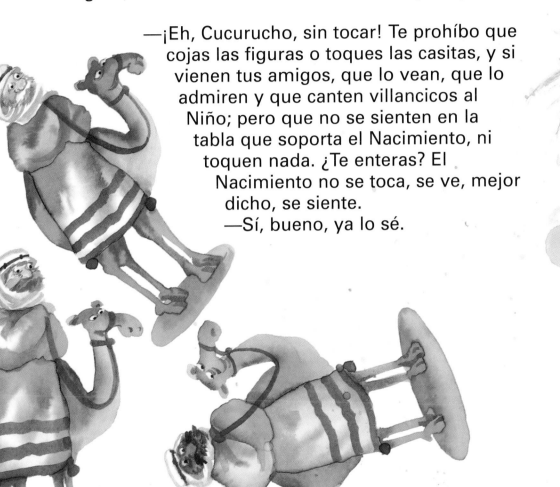

—¡Eh, Cucurucho, sin tocar! Te prohíbo que cojas las figuras o toques las casitas, y si vienen tus amigos, que lo vean, que lo admiren y que canten villancicos al Niño; pero que no se sienten en la tabla que soporta el Nacimiento, ni toquen nada. ¿Te enteras? El Nacimiento no se toca, se ve, mejor dicho, se siente.

—Sí, bueno, ya lo sé.

Ya veis, Carlita era la marimandona; pero es que con Cucurucho todo el cuidado era poco; no sabéis lo demonio que era ese pequeño con cara de ángel.

El Nacimiento estaba puesto en un rincón de la sala, sobre una tarima.

El portal de belén estaba muy bien hecho. El Niño Jesús sonreía en las pajas, gozoso y contento. La Virgen y San José brillaban de alegría y un buey y un burrito se entretenían, como siempre, en calentar con su aliento los pies del recién nacido.

Nadie se dio cuenta del milagro que estaba ocurriendo en la casa.

El milagro era que cuando se puso el Nacimiento, Cucurucho dejó de hacer tantas barrabasadas: no enredaba, no gritaba, no se metía con su hermana. Se solía sentar junto al belén a mirar y a remirar las figuritas.

Una mañana se levantó Cucurucho muy temprano; su hermana Carlita dormía todavía; sus padres y sus hermanos mayores también, y Cucurucho estaba quieto llorando en silencio junto al Portal.

Y más decidido, comenzó a acariciar a las frías ovejas de barro pintadas de blanco, mudó a una lavandera de orilla, adelantó y colocó muy cerca del portal a la regia comitiva de los Reyes, cogió el pesebre y lo contempló en sus manos, dio un beso al Niño y lo volvió a colocar; cogió después al gracioso burrito que a un lado del pesebre estaba echado y… ¡qué mala suerte!, se le cayó al suelo y se partió en muchos trozos.

Cucurucho, tembloroso, recogió los trozos y salió a tirarlos a la calle; también cayeron a la calle unas lágrimas, porque Cucurucho estaba llorando silenciosamente junto al portal de su casa y vio, muy borrosamente por las lágrimas, un burrito pequeño; se parecía al que acababa de romper, sólo que éste era de verdad.

Algo se le ocurrió, pues secándose los ojos cruzó la calle, sin ser visto, se acercó al pequeño animal y le dijo:

—Oye, burrito, ¿quieres venir a estarte en el Nacimiento?

El burro le miró, sacudió sus orejas y bajó la cabeza.

—¿Sí quieres? ¡Pues ven! ¡Corre!

Y cogiendo al burro del trapero de una gruesa cuerda que tenía de collar, le metió en su portal. Menos mal que vivía en el primer piso y había pocas escaleras que no con mucha dificultad subió el burrito.

Tuvo suerte. Nadie vio nada. Despacito lo metió en su casa, despacito atravesó el pasillo, despacito llegaron al Nacimiento y el burrito gris y medio pelado dobló sus patas en la puerta.

—¡No, tonto! —le dijo Cucurucho—; si no es ahí donde tienes que ponerte, es aquí junto al Niño Jesús, para que no tenga frío.

Y a la derecha del Portal de Belén, sobre las baldosas de la sala, se echó el simpático burro del trapero y se quedó quietecito, quietecito, calentando y calentito. Muy feliz le contempló Cucurucho y suspiró diciendo:

—¡Ay, qué pena, que rompí la figurita del burro! Pero así, con éste, nadie notará nada.

Aventuras de Bartolín

Las plumas de la cabeza
le crecían sin pereza.

Bartolín, el pobre pato,
va a un peluquero barato.

—Córtame la melenita,
me dijo mi mamaíta.

Y, cantando el «tico-tico»,
le cortaron hasta el pico.

—Parece que te han «pelao»
los borricos a «bocaos».

Patito pelón,
patito pelón;
pareces un duende
con el camisón.

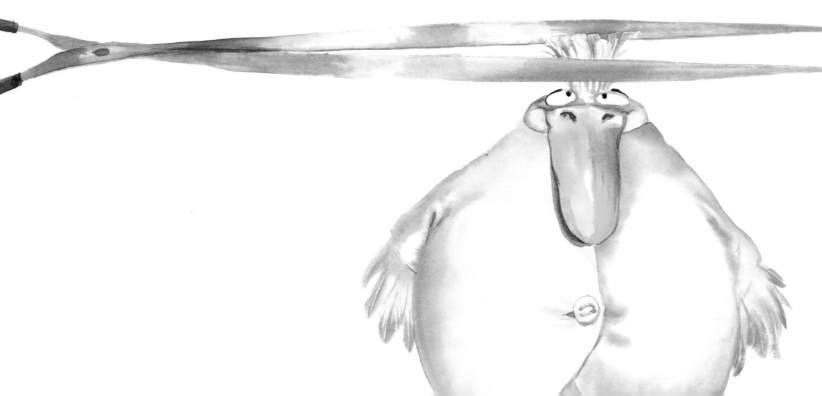

El ángel de Belén
que vino en helicóptero

Sécate el parabrisas.
Límpiate el parabesos.
Cepíllate las alas
y entrénate en el vuelo.

Aterriza en Belén,
encima del pesebre.
San José, pensativo.
La Virgen tiene fiebre.
(Y empezó a cantar a Dios
el ángel aviador).

El aire frío azotaba,
el ángel se equivocaba.
—¡Gloria, Gloria, Gloria Fuertes!
—Que no, que no, criatura.
¡Gloria a Dios en las alturas!

170

ÍNDICE

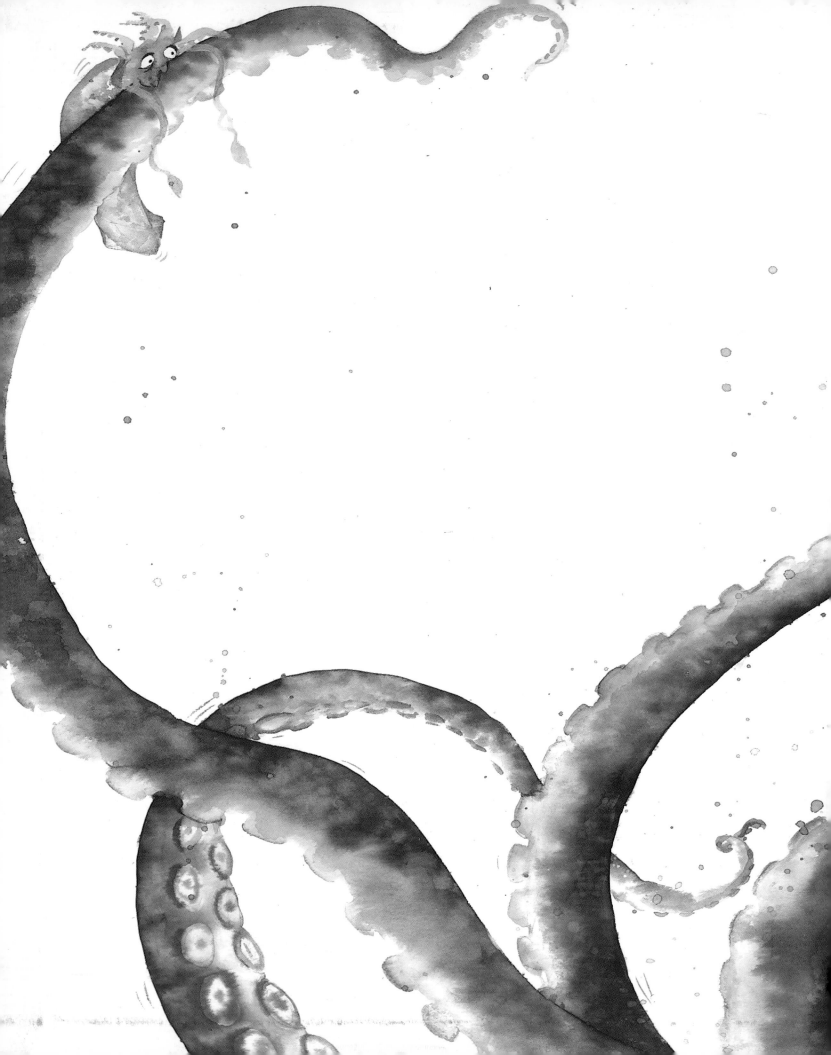